EDUARDO SUÁREZ DEL REAL AGUILERA

# Eduardo Bonnín
## un aprendiz de cristiano

Colección: CURSILLOS DE CRISTIANDAD
Dirección: Jesús R. Valls


© Fundación Cursillos de Cristiandad

© LIBROSLIBRES
Raimundo Lulio, 20, 1° Dcha.
28010 Madrid (España)
Telf. (34) 915940922 Fax. (34) 915943644
E-mail: kairos@mi.madritel.es
Página web: www.libroslibres.info

Directora Editorial: Lidia González

Realización de la cubierta: © Arturo Meler

Primera edición: junio de 2001
Segunda edición revisada: marzo de 2002


Depósito Legal: M-11074-2002
ISBN 84-932315-1-7

Impresión:   NATURPRINT
             Trueno, 2 - Pol. Ind. San José de Valderas
             Telf. 91 611 71 52* - Fax: 91 610 94 61
             28918 Leganés (MADRID)
             e-mail: creacion@naturprint.com


Impreso en EUA con permiso de FEBA, julio 2003
Printed in USA

Este libro no podrá ser reproducido, ni
parcial ni totalmente, sin el previo permiso
por escrito de los titulares del "copyright".
Todos los derechos reservados.

*Dios es verbo, no substantivo.*

**R. Buckminter Fuller**

*La palabra de Dios está sonando siempre por el mundo,
y sólo no la oye el que es voluntariamente sordo.*

**Rabindranath Tagore**

*Estamos llamados a hacer transparente la ternura de Dios.*

**Eduardo Bonnín**

*La forma más rápida de llegar a encontrar e/ Grial es irnaginar
que está presente en cada vaso que nos llevamos a la boca.*

**José María Blanco**

7

A Maria Antónia, que no dudó
a mis hijos, que me iluminaron
a mi madre, que me despertó
a mis hermanos, que me animaron
a mi padre, que aún existe
a mis amigos, que supieron desaparecer
a Jaume Radó, que me puso en pista
a los cursillistas, que respondieron
a mi carta
a Antoni y Juan Ferrer, Miquel Amengual, Antoni Catalá, Miquel Llabrés y todos cuantos apoyaron esta idea
a Guillermo Bibiloni, Jesús Valls y Jaume March, que enriquecieron esta obra
a Esperanza Jaume, Alberto Ramírez y José María Sevilla, que me ayudaron
a Jordi Bonnín, Rafael Benavent y Ventura Rubí, que compartieron ampliamente sus recuerdos
a Alaró, que me arropó
a Lisa, que se dejó abrazar
a mi ordenador, que no perdío la memoria
a Eduardo, que me dio sed
a Cristo, que la sacicó.

# ÍNDICE

# PRÓLOGO

Eduardo Suárez del Real Aguilera, periodista mexicano afincado en la isla de Mallorca, me pide unas líneas de presentación para la «Entrevista biográfica» que ha escrito sobre Eduardo Bonnín. No tengo el gusto de conocer al autor del libro, pero sí al entrevistado, con quien he coincidido en diversas ocasiones, tanto en público como en privado, y a quien he aprendido a estimar, sobre todo a raíz de una larga entrevista que mantuvimos. Bonnín ha sido uno de los fundadores de los Cursillos de Cristiandad, movimiento nacido en Mallorca, en la década de los cuarenta, y hoy prácticamente extendido por todo el mundo católico, con cerca de diez millones de adeptos.

Se trata de un movimiento eclesial, cuyo objetivo es la renovación de la vida cristiana. Ha sido reconocido por la jerarquía católica, los papas Pablo VI y el actual, Juan Pablo II, han tenido para él y los cursillistas palabras sumamente elogiosas. Existían ya varias publicaciones que ofrecían una visión de los cursillos, como también del pensamiento de Eduardo Bonnín. Se echaba en falta, sin embargo, una obra que nos diera a conocer al señor Bonnín, cómo vive y actúa, pues evidentemente existe una íntima relación entre los Cursillos de Cristiandad y la vida de su principal artífice.

La biografía que tienes en tus manos, amable lector, hasta ahora ausente de la bibliografía de Cursillos, solicitada y esperada por decenas de millares de cursillistas, viene a llenar este vacío y a satisfacer estos anhelos. No pretende ser una biografía científica, para la cual deberán aún transcurrir muchos lustros de investigación y recopilación de datos, sino una aproximación. El propósito del autor es de encerrar, en el reducido espacio de este libro, la larga trayectoria de una vida rica en aconteceres, mediante entrevistas y encuestas. Tampoco es ésta una biografía retocada y hagiográfica. En efecto, el señor Bonnín aparece como un hombre hecho de cielo y barro, como todos, con sus propias limitaciones, no exento de singularidades. Un hombre que se declara simplemente aprendiz de

13

cristiano pero que se siente llamado a hacer transparente en este mundo la ternura de Dios, y en ello ha empeñado toda su existencia. Sus penas y sus alegrías no sorprenderán a los que conocen la vida y el empeño de aquellos hombres y mujeres que han intentado renovar la Iglesia.

A las entrevistas directas, agrega el autor algunos testimonios de cursillistas clérigos y laicos, quienes certifican en sus escritos el bien que han hecho en su vida los Cursillos y la amistad con Eduardo Bonnín.

El Señor nos dice que el mensajero que anuncia su Reino se mide con la obra que cumple: «Así que por sus frutos los reconoceréis» (Mt 7,20). La Iglesia debe un agradecimiento al señor Bonnín, que con su apostolado ha dado una nueva vitalidad a la comunidad de los creyentes.

**Paul Josef Cordes**
**Presidente del Pontificio Consejo «Cor Unum»**
Roma, 15 de octubre de 1999.

# PRESENTACIÓN

En el año 45 D.C., bajo la directiva de Pedro, los apóstoles celebraron una reunión para analizar si esencialmente el cristianismo debía permanecer sujeto al universo religioso y cultural en que se había manifestado, es decir, al judaísmo. Fue Pablo quien convocó aquella duma apostólica y también fue él quien expuso sin tapujos la necesidad de la catolicidad: abstraerse del mundo religioso de la sinagoga y de otros conceptos semíticos, con el fin de hacer a Cristo accesible a los paganos. Pedro se opuso a aquella revolución, también parte del pueblo y algunos pastores temerosos; pero, iluminados y llevados por el coraje de Pablo, fueron capaces de concretar aquel gran cisma y de renovar el mensaje cristiano frente a las exigencias de un nuevo mundo. Lo demás es, también, historia conocida: el mensaje de Cristo llegó al orbe helenizado y hombres como Clemente de Alejandría y Orígenes lo pensaron y lo vivieron a través de las categorías griegas. Más tarde ese pensamiento se romanizó y desarrolló con el lenguaje y los instrumentos culturales latinos que casi han llegado hasta nuestros días... Renovarse, ése era el camino del cristianismo. Pero ¿de qué sirve recordarlo aquí?

Como Pablo, la visión paradigmática (o paráclita) de Eduardo Bonnín Aguiló, fue haberse percatado de que la transformación del mundo en que vivíamos había sido esencialmente cultural y que era en ese lenguaje cultural moderno, y en sus categorías, como había que presentar a Cristo y a su Iglesia, reencauzando en torno suyo la esperanza y el dolor de las personas de hoy y, nuevamente, intentando acercar el mensaje de Cristo a los humanos. Incluso antes del Concilio Vaticano II, Eduardo Bonnín fue (y es) el anuncio de una buena nueva: «Dios te ama», toda una mutación con cómodas cosmovisiones y testimonio luminoso de lo cristiano. A partir de esta noticia, de su necesidad de propagarla y de conseguir que cada pesona la interiorice, creó el movimiento de Cursillos de

**15**

Cristiandad.

A cincuenta y cinco años de su fundación, los Cursillos continúan siendo una figura nueva dentro de la Iglesia, pero no por ello dejan de ser una realidad viva que, en los cinco continentes, impulsa el ensamblaje preciso entre el cometido del sacerdote y el de los seglares. Proponerle a la humanidad una nueva relación con Dios no es fácil, a Eduardo Bonnín le ha llevado media vida explicar lo más simple y, otra media, defenderse de lo más complejo, ya que, a pesar de ser un hombre de Iglesia que reconoce en ella el camino y que por ello ha hecho de su vida una dimensión viva y actualizada del seglariado, ha sido necesariamente crítico. Ser protagonista de una evolución consecuente y pacífica, ha sido más extenuante que morir en una revolución, pero su mejor arma siempre ha sido, y sigue siendo, la alegría.

Actualmente circulan por el mundo diversas publicaciones que encierran la visión renovadora y el pensamiento de Eduardo Bonnín, fundador y esencia misma de los Cursillos de Cristiandad. Existe, sin embargo, un vacío importante en cuanto al conocimiento de su vida.

Cuando un pensador de su talla milita cotidianamente con sus ideas, vive su pensamiento o, como se dice vulgarmente «predica con el ejemplo», vida y obra acortan distancias, se entrelazan estrechamente y entroncan en un sólo ministerio y un magisterio constante. Así, la interrelación que existe entre la vida de Eduardo Bonnín y la de los Cursillos de Cristiandad es evidente, como lo es también la necesidad que existe en profundizar en la primera. Ineludiblemente, conocer la vida de Eduardo de viva voz, será internarse en la intrahistoria de los Cursillos y penetrar hasta la génesis de este movimiento que ha conseguido conjugar en tiempo presente el Evangelio y dinamizar en cristiano la vida de cerca de diez millones de personas en el mundo; dos generaciones ya, en algunos países.

### Definición de la obra

Los términos más comunes, pero a la vez más ambiguos, para enmarcar un trabajo como el presente, son biografía y autobiografía. Los dos devienen de la literatura y constituyen sendos géneros desde la antigüedad clásica. Por suerte, con la aparición en 1920 del método biográfico, la investigación en las ciencias sociales ha abierto dos caminos paralelos para recoger y transmitir la narrativa vital de una persona: *life story (récit de vie),* que corresponde a la narración biográfica de una persona que puede ser publicada conservando sus propias peculiaridades lingüísticas para acentuar la fuerza testimonial de su relato y para que el propio lenguaje sea exponente de un rasgo de su personalidad. Y life *history (histoire de vie)* que incluye la *life story* pero que está enriquecida con información y puntos de vista adicionales, que permiten reconstruir la biografía de forma más exhaustiva.

En español la traducción de los términos aún no ha sido fijada ni consensuada entre los investigadores. Pujades Muñoz propone «relato de vida (sinónimo de otros términos de resonancias literarias como «relato biográfico» o «narración biográfica») para referirnos al primer concepto, frente al ya habitual término de historia de vida, que corresponde al segundo». La inclusión en este libro de los trabajos de Guillermo Bibiloni y Jesús Valls, nos permiten situarlo como una historia de vida, sin que por ello exista pretensión alguna de haber conseguido una biografía científica, trabajo para el que han de pasar algunos lustros de investigación en archivos y recopilación de documentos. Hace algunos años, desde el parámetro imperante y desmesuradamente objetivo de los positivistas, era inconcebible la recuperación del ser humano con toda su subjetividad. Pero frente a su empirismo analítico, levantó la voz la valoración de la voluntad interpretativa hecha por los humanistas y es en ese campo donde se inserta esta entrevista autobiográfica.

## Metodología

Desde el principio tuve claro que la técnica de campo más genuina para intentar encerrar en un libro la trayectoria de una vida, es la entrevista biográfica. La documentación que existe sobre este tema destaca que «una encuesta biográfica no es, no ha de ser, una experiencia unilateral en la que el único implicado sea el sujeto de estudio. Nosotros también debemos implicarnos con el sujeto y con sus circunstancias. Y esto no sólo para «salvar» la encuesta, sino por la reciprocidad humana que exige una ética profesional. El período más o menos largo de elaboración conjunta de un relato de vida, constituye el tempus para una relación personal, que normalmente se prolonga más allá de la finalización del trabajo concreto... Sin un *feed-back* armonioso y positivo entre las dos partes de este proceso, es difícil augurar un buen resultado final... Así, el éxito o el fracaso de una encuesta biográfica depende en buena medida de nuestra capacidad para establecer con el informante una buena relación de confianza y amistosa cordialidad. Tenemos que ser pacientes frente a las divagaciones, dudas, silencios, frente al rechazo del informante a profundizar en hechos o circunstancias desagradables que él ha querido apartar de su recuerdo».

Hoy me provoca una sonrisa recordar la seriedad con la que, ates de iniciar este trabajo, me ungí de los anteriores consejos. No sabía en dónde me metía. Entre otras muchas cosas, Eduardo Bonnín es amistad y la distancia encuestador-encuestado fue partida en mil pedazos desde las primeras entrevistas. Mi única ilusión ética ha sido salvaguardar alguna objetividad y no extraviarme en la necesaria profundización empática de la personalidad del personaje. Entrevista directa, entrevistas paralelas y su archivo epistolar, han sido las principales fuentes de las que se ha nutrido este trabajo. En la transcripción de las entrevistas ha sido especialmente importante mantener y respetar todas las expresiones y giros idiosincrásicos, así como su característico léxico jergal, jalonado por varias hablas, de las que ha sido contagiado en sus viajes por Hispanoamérica, además de por todos los giros propios del hispanohablante cuya lengua materna es el mallorquín. La reiteración, la cacofonía, el juego de palabras, las elipsis y el malabarismo verbal, tienen una importante función expresiva en su discurso, por lo que también he intentado reflejarlos con fidelidad. Pero lamento que el texto no consiga hacerse eco de su ritmo oral, ágil y sincopado, que culmina casi siempre en una risa o en el clímax de una carcajada compartida. Sujetar nuestras conversaciones a un hilo argumental rígido, hubiera sido como encerrar en una jaula un fotón de luz y privarse de la gracia de ésta. Por lo que, salvo excepciones, siguieron un curso libre y espontáneo para, más tarde, ser coherentemente ordenadas en torno a un tema.

**Contenido**

La historia de vida de Eduardo Bonnín se va desenvolviendo, a través de sus respuestas, a lo largo de diez conversaciones/capítulos que siguen un orden lógico pero no cronológico. Al principio de cada entrevista hay una entradilla que simplemente pretende contextualizarla y servir como hilo conductor del relato. Las notas a fin de capítulo no siempre son simples aclaraciones, sino que ofrecen una lectura paralela del libro, que permite profundizar aún más en su pensamiento y en su obra o en los hechos y palabras que cita.

Después de la entrevista biográfica, Jesús Valls, testigo de excepción de la vida de Eduardo y brillante conocedor del movimiento de Cursillos, nos entrega un testimonio en el que se esboza el perfil viajero de Eduardo, así como la dimensión internacional de su obra. Si, según los *Hechos de los apóstoles,* el tercer período de la vida de Pablo está marcado por tres grandes viajes misioneros, la vida de Eduardo, sobre todo en el último período, está marcada por innumerables viajes evangélicos.

Otra aportación -de gran nivel- a este trabajo, es la hecha por Guillermo Bibiloni, licenciado en periodismo e investigador que conoce a Eduardo desde 1945, y que, unido por la amistad y por la bibliofilia, ha seguido muy de cerca su trayectoria. Su excepcional testimonio enriquece el capítulo «Testimonios», un apartado en que se reúnen las opiniones y anécdotas que, sobre Eduardo Bonnín, nos han llegado desde diversos rincones del planeta y, por supuesto, desde Mallorca. La lectura de estas cartas permite enriquecer el perfil de Eduardo desde muy diversas ópticas y son certificación palpable de la amistad que él genera.

**Testimonio personal**

Si hubiera sido por Eduardo Bonnín este libro tendría sólo tres páginas. Estas del prólogo y otra en la que él confesara: «Yo siempre me presento diciendo que soy un aprendiz de cristiano, no me gusta decir nada más». La realización de este trabajo chocó con su innata humildad y el proceso se estrelló, en no pocas ocasiones, con su natural afán de rehuir protagonismos.

Alguien me dijo un día: «Tenías que haberlo conocido hace cuarenta años», entonces pregunté ¿cómo era? y la respuesta me dejó reconfortado: «Igual que ahora».

Fui a Cursillos, no hacerlo hubiera sido algo similar a escribir la biografía de Paúl Boucuse sin haber probado su cocina. Lo cierto es que desde aquel fin de semana, las conversaciones con Eduardo ganaron en su óptica y pude comprender mejor su enrevesado mundo en el que los humanos desarrollan sus raíces hacia el ciclo. Pese a todo, mi de-formación literaria me hizo conocer todos los caminos errados para escribir esta obra; al final mi reto personal fue la transparencia y me conformaría con haber conseguido crear la foto fija de un hombre lleno de ocurrencias, de humor, de palabras fáciles y certeras como dardos que pegan en la diana sensible de la inteligencia; de un hombre que contagia fe, hace verbo a Dios y crea hambre de Cristo.

Ignoro si quienes han inventado una historia oficial dc los Cursillos, crearán una biografía oficial de Eduardo, pero me permito dudarlo porque parte del discurso oficial pasa por «negar al César lo que es del César». Ésta no es la biografía oficial y retocada que intenta maquillarlo en tonos angelicales y etéreos, al contrario, sus propias palabras evidencian su humanidad con todas sus *cadaunadas*.

Comparar a Eduardo con San Pablo no significa que este trabajo intente ser una hagiografía (nada más alejado de su modesto alcance). Jamás me atrevería a decir que Eduardo Bonnín es un santo, en primer lugar porque quién lo es, se dice en Roma, no en Mallorca; en segundo, porque, en mi humilde opinión, algunos procesos de beatificación han contribuido al desprestigio de la santidad; y en tercero, porque inevitablemente, a lo largo de estos años, he desarrollado un sincero sentimiento de amistad hacia él.

Sin embargo, no puedo evitar traer hasta aquí algunos de los conceptos que cl cardenal y teólogo Henri de Lubac utilizó, a raíz del Vaticano II, para definir al santo del mañana, siempre que a la ascesis referida se le dé el valor cristiano y no religioso:

*Tomará el Evangelio a la letra, es decir en su rigor. Una dura ascesis le habrá liberado de sí. Habrá heredado toda la fe de Israel, pero acordándose de que ha pasado por Jesús.*

*Tomará sobre sí la cruz del Salvador y se esforzará por seguirle. A su manera, imprevisible, nos dirá como Clemente de Alejandría: a Una luz ha brillado en nuestro cielo, más pura que la luz del sol, y más dulce que la vida de aquí abajo». Y este santo de mañana hará penetrar en nuestra noche un rayo de luz. Intelectual o de poca cultura, será siempre ejemplo y estímulo. Dócil al Espíritu, no se dejará seducir ni deslumbrar por novedades, ni tampoco asustar por renovaciones audaces.*

*Quizá padezca sufrimiento, abandono, soledad. Será otro Cristo. A través de él veremos el rostro de Dios.*

**Eduardo Suárez del Real Aguilera.**

Alaró, Mallorca, febrero de 1999.

# UN REGALO PRECIOSO VENIDO DEL CIELO

*El año 1917 fue el más crítico de la Primera Guerra Mundial. Militarmente* ninguno *de los bandos contingentes conseguía una victoria definitiva, a pesar del gran número de bajas que sufrían. Esta situación provocaba crisis políticas en los gobiernos de los países beligerantes, mientras que las masas populares europeas, cansadas por la prolongación del conflicto, manifestaban su descontento con huelgas en ciudades y con amotinamientos en el frente. Aquel año los EE UU. decidieron intervenir, declarando la guerra a los imperios centrales, y en Rusia, con la abdicación de Nicolás II, se produjo el triunfo de la revolución soviética.*

*En España reinaba Alfonso XIII, quien mantuvo la neutralidad en la Guerra Mundial; pero el crítico clima de aquel año (huelga general, asamblea de parlamentarios, juntas militares) gesta el hundimiento definitivo del orden constitucional de la Restauración y demuestra al monarca que, sin el apoyo del ejército, su situación era comprometida.*

*En consecuencia, se dio una fuerte inestabilidad en todos los sectores del estado español, producida por la grave situación económica, el malestar entre militares provocado por cuestiones de régimen interno, la presión de las fuerzas políticas de la oposición para intervenir en las tareas del gobierno y el mismo sistema vigente, que era ya inoperante y que provocaba la necesidad de un cambio urgente en la formación del poder.*

*En Mallorca, hasta ese año estuvo vigente el sistema -impuesto por la Restauración- de alternancia entre los partidos de turno; el maurismo se debilitaba y dos nuevas fuerzas se convertían en protagonistas de los acontecimientos políticos y sociales de aquel momento: regionalistas y socialistas.*

*Mallorca, con cerca de 200.000 habitantes, era una sociedad predominantemente agraria, en la que el peso de la Iglesia, que cumplía una importante labor social y religiosa, era muy firme.*

*La guerra había favorecido el desarrollo de la industria del calzado, así como de la importación de conservas, mantas de lana, pequeñas embarcaciones de madera y de mano de obra especializada, provocando un movimiento migratorio; pero, paralelamente, también había tenido efectos negativos en el tráfico marítimo, afectado por los registros que se realizaban desde los barcos de guerra franceses y submarinos alemanes que rodeaban la Isla.*

*La oportunidad de exportar creó una situación coyuntural buena, con posibilidades de enriquecimiento en las capas altas de la sociedad; pero, a la vez, la inestabilidad política y económica se dejaba sentir, acrecentada por acuciantes problemas sociales nacidos de la dificultad de abastecimiento de materias primas y de un desmesurado encarecimiento de la vida.*

*En aquel difícil año, en un mundo en plena efervescencia y en el seno de una familia católica dedicada al comercio y exportación semimayorista de granos y frutos secos, nacía Eduardo Bonnín Aguiló.*

*- Tu niñez no fue ayer pero en ella encontraremos las explicaciones que nos ayudarán a iluminar la base del perfil de tu vida. ¿Quiénes fueron los protagonistas de ese mundo en el que empezaste a crecer?*

-Mis padres Fernando Bonnín Piña y Mercedes Aguiló Forteza, nacieron en Palma. Mis cuatro abuelos también nacieron aquí. El abuelo paterno se llamaba José Bonnín y la abuela, Josefa Piña. Él era comerciante, exportador y propietario de una de las casas más antiguas de exportación de almendrón, sé que padecía del corazón. De ella sólo recuerdo que tuvo muchos hijos.

Mi abuelo materno era Jorge Aguiló Forteza (Cetre) y, a la luz de los tiempos, puedo decir que fue una persona que marcó mi vida. Él, junto con su hermano Pedro, era accionista de esa fábrica de cerámica llamada La Roqueta. También era consejero de la compañía naviera Transmediterránea y viajaba continuamente a Londres. Era un hombre del mundo de los negocios; el principal, durante un tiempo, fue la madera, luego puso una imprenta. Era un hombre muy dinámico y activo, que montaba a caballo, en bicicleta, en sidecar y que fue de los primeros en tener coche, cuando apenas los había en

Mallorca.

Tomaba duchas de agua fría, como yo lo he hecho toda mi vida, pero, ante todo, era un hombre muy creyente. Mi abuela, María Forteza, era una persona completamente distinta; fue una mujer de su casa. Cuando mi abuelo llegaba preocupado por los negocios, porque tenía que hacer pagos o algo parecido, se lo explicaba a su mujer y ella le decía «déjalo no te preocupes»; recuerdo que entonces él, en alusión a la oración «bendita sea tu pureza», le contestaba cariñosamente: «Bendita sea tu burreza».

Jorge Aguiló era un hombre muy significado de su tiempo, destacado en la sociedad mallorquina. Un señor escribió una novela por entregas titulada Jorge Aguiló, el autor le ofreció al abuelo la posibilidad de vincular al protagonista con la nobleza al final de la historia, a cambio de una suma de dinero, y de quitarle o no la heroicidad que le había dado en todo el libro.

*- En una entrevista, realizada recientemente por el padre Paul Josef Cordes, decías estar convencido de que «nada influyó en mí*

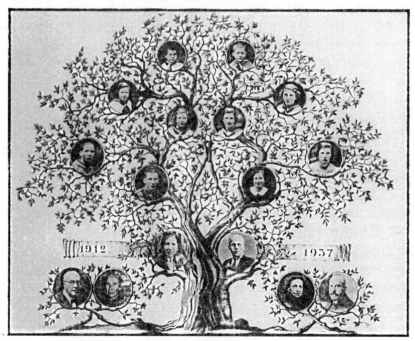

Árbol genealógico obsequiado a Fernando Bonnín Piña y Mercedes Aguiló Forteza, en sus Bodas de Oro.

23

*tanto como el obstinado y siempre creciente interés por la lectura. Ya de pequeño, solía decir que prefería estar un día sin comer que un día sin leer El dinero de que disponía, siempre lo he empleado en libros[1]». ¿Podemos situar al abuelo Jorge en el origen de esta pasión?*

- Tenía una biblioteca enorme, bastante nutrida para aquella época. Además, fue en su tiempo un defensor del mallorquín; a través de él conocí a los autores de nuestra literatura. También era un forofo de Gabriel y Galán, concretamente de la poesía de *El ama*. Él siempre pedía a Dios morirse antes que mi abuela, pues decía que no resistiría la vida sin ella. Una vez que fue a Barcelona, consiguieron que grabara un disco recitando este poema. El día que murió mi abuelo, mi madre puso el disco. Pertenecía a las Conferencias de San Vicente de Paúl, había una rama que se dedicaba a socorrer a la gente y escribió una serie de conferencias, en mallorquín, sobre este asunto. El poeta Miquel Forteza dice que la afición a la literatura me vino por mi abuelo, concretamente por esas conferencias que hizo. También, hay un documento de dieciocho páginas en el que mi abuelo defendía el mallorquín.

Era un hombre con una situación económica buena. Cuando alguien iba a pedirle algo, decía: «Bueno, márchate, márchate», y discretamente le ponía en el bolsillo lo que pedía, pues quería evitar que le dieran las gracias. Recuerdo que, cuando venía de la oficina, siempre había uno u otro para pedirle algo, entre otras cosas, consejos.

Yendo más atrás, el abuelo contaba que cuando murió su padre, llegó un grupo de pobres que hicieron abrir el ataúd, una vez cerrado, para poder despedirse de él.

Conviví mucho con él y asistí a sus bodas de oro. Era un hombre lleno de anécdotas y de historias, un lector empedernido. Lo sabía todo de Echegaray y Pereda. Hablaba inglés y francés.

*- Desde hace sesenta y un años visitas semanalmente la prisión y desarrollas un trabajo muy personal con los presos y con otras personas marginadas. ¿Podemos deducir que esta vocación también tiene como punto de partida al abuelo Jorge?*

- Me llamaba la atención todo lo que él me contaba, creo que su

---

1) Cordes, Paul Josef: *Signos de Esperanza*. Ed. San Pablo. Madrid, 1998, p.

experiencia y forma de ser se me fue metiendo en el cerebro. Yo, después, llegué a ser secretario de las Conferencias de San Vicente. El día que me licenciaron de mi servicio militar, un coronel, don José Enseñat, me dijo: «Yo creo que te voy a necesitar para las Conferencias». Hoy me doy cuenta de que están pasadas de moda, aquello no acabó de gustarme; era un apostolado de estos raros porque padecía de un paternalismo impresionante. Incluso a veces presumían de que habían asistido al abuelo, al hijo del abuelo y, en ese momento, asistían al nieto; de modo que eran pobres y lo seguirían siendo, no los hacían progresar; diríase que cultivaban la pobreza para poder ejercer su altruismo. Los visitábamos para hacer limosna real y espiritual; lo único que le debo a aquella experiencia, es haberme permitido tener un primer contacto con el mundo de los pobres y saber de sus cualidades y sus defectos.

- *¿Tu madre fue el hilo conductor de esta relación atávica?*

- Sí, mi madre fue una mujer muy cariñosa e inteligente, muy aficionada a la literatura y con un gran sentido del humor. Fue el corazón de un hogar armonioso y feliz. Murió el 1 de septiembre de 1987, día de fiesta familiar porque era en el que había nacido ella. Desde entonces, en casa, es fecha de duelo.

Mi padre fue el continuador del negocio de mi abuelo, en el que también trabajamos mi hermano y yo. En Mallorca había una simpatía hacia la honradez comercial de nuestra empresa, por los precios a los que comprábamos y vendíamos. Cuando el gobierno propuso que todas las casas exportadoras se unificaran, se creó una sociedad que aún existe, ALMASA (Almendras de Mallorca, S.A.). Nosotros quedamos diluidos en esta gran empresa y fue por aquellos años cuando mi padre murió.

Él era un hombre estricto, no se te ocurría llegar tarde a la hora de la comida, pero no tenía nada de beato. Recuerdo que una vez vino una chica a recoger un libro a casa y, como no lo encontraba, estuve más de quince minutos arriba con ella; papá me señaló con mucha razón: «Mira que los vecinos han visto que subías con esta chica, ten cuidado». La gente era de esta manera, se sospechaba de todos; en cambio, ahora, tú puedes subir con diez mil y nadie va a pensar nada de ti; creo que la gente de hoy es mucho mejor, por eso soy optimista cuando me preguntan sobre el futuro.

Mis padres se casaron un 19 de diciembre y en esa fecha, que era su aniversario de boda, empezaban para nosotros las fiestas de Navidad. Había ocho años de diferencia entre ellos, pero murieron casi a la misma edad.

*- Exactamente ¿en qué fecha naciste?*

- El 4 de mayo de 1917, tenía apenas un año en aquel famoso Año de la Gripe en el que murió un tío mío. En mi familia éramos diez hermanos [2], tres varones y siete mujeres. Uno de los tres chicos ahora es sacerdote diocesano en Binissalem (Mallorca) y una de las hermanas, hoy fallecida, era carmelita descalza en Valencia. Recuerdo nuestras idas a Son Roca, a casa de los abuelos y, también, a Son Rossinyol, que era donde veraneaba mi abuelo Jorge. Él acostumbraba tener un nieto cada día, en turno rotativo comíamos con él.

Cuando se casaron mis padres, les regalaron una casa a la que llamamos Son Chiripa, porque fue una chiripa que les regalaran una propiedad tan cerca de Son Rossinyol, nuestro lugar de veraneo. Los paseos y las excursiones eran nuestras actividades favoritas, siempre hubo mucha hermandad entre todos. Los veranos los pasábamos muy bien, eran tres meses sin venir a Palma; a mi madre le gustaban mucho las poesías de Maria Antónia Salvá, sobre todo *«L' Estiu»*.

*- En los años que rodean tu nacimiento se vivieron graves conflictos sociales, tanto en el ámbito nacional como internacional: la Semana Trágica de Barcelona en 1909, la Primera Guerra Mundial, la Huelga General de 1917, el conflicto bélico entre España y Marruecos, un golpe de estado de Primo de Rivera que conlleva la clausura del Ateneo de Madrid y el destierro de Unamuno, entre otras muchas cosas... Cuando tú creciste ¿tu padre te habló alguna vez de alguno de estos hechos y de cómo lo afectaron?*

- En alguna ocasión mi padre nos relató las repercusiones que tuvo la Semana Trágica en Mallorca, el asalto a la casa Alzamora y otros sitios donde había alimentos que los parados querían repartir. Pero él nunca fue político ni en casa se hablaba mucho de esto, más allá de las repercusiones que pudiera tener la vida política en lo inmediato, como que no hubiera mucho que comer o de dónde

---

2) Hermanos de Eduardo Bonnín Aguiló (EBA): Amalia (V), madre de familia; Luisa (V), ama de casa; Jordi, exportador; Josefa, ama de casa; Fernando, sacerdote; María (V), monja carmelita; Mercedes, ex monja y asistenta social; Elvira y Pilar, asistentas sociales.

escoger.

De Primo de Rivera hoy solamente recuerdo el final de un acróstico que decía: «esto es lo que España espera para el bien de la nación, la fuga del borrachón Miguel Primo de Rivera». Después recuerdo que los periódicos lo criticaban mucho porque salía con una señora, algo así como lo que ocurre ahora con Clinton, pero él quería casarse.

- *¿Tienes algún recuerdo de la etapa de Domenech[3]? Fue nombrado obispo de Mallorca en 1916.*

- Yo tenía la escarlatina y no pudieron confirmarme. Pero, después, fue él quien me confirmó en el Palacio Episcopal, de eso me acuerdo perfectamente.

- *¿En qué momentos sitúas tus recuerdos más felices?*

- Para nosotros un día señalado, la fiesta grande, era el día de Reyes; mi madre gastaba todos sus ahorros para hacernos siempre unos regalos estupendos, pasaba un año investigando qué era lo que más queríamos. Ella nos dijo que teníamos que celebrar siempre esa fiesta, y siempre, hasta ahora, la celebramos. Mi hermana mayor, Josefa, hace más o menos lo mismo que mi madre y nuestra fiesta, entre hermanos, sigue teniendo mucha bulla. Mi abuelo Jorge murió el día de Reyes, a pesar de eso yo todavía creo en ellos.

Recuerdo que, aunque todos ya éramos mayores y a pesar de su tristeza, mi madre tuvo la ironía de venir con un telegrama enviado por los Reyes Magos, decía: «Hemos sabido lo de la muerte del abuelo y nos vamos a demorar, llegaremos a mediados de enero». Y llegaron.

- *¿Cuáles fueron los escenarios de tu infancia?*

- Yo nací en una casa de Palma que estaba en el mismo lugar en el que hoy se encuentra el Bar Niza. Luego pasamos a vivir en la calle Sindicato n° 165, hoy 55. Después se vendió la casa para estar en la de ahora. El abuelo Jorge vivía en la calle de la Cofradía n° 8, era vecino de Joan March; recuerdo haber jugado de niño a hacer pompas de jabón con Bartolomé y Juan, hijos de March.

- *¿Cómo fue tu educación?*

3) Domenech Valls, Rigobert (Alcoy 1870 - Zaragoza 1955). Obispo de Mallorca (1916-1925) que desarrolló una gran labor catequística y social.

- Las primeras letras las estudié con unas monjas que estaban en la calle de San Miguel. Después fui a la Escuela Francesa, que estaba al principio de la calle Morey. Luego, al colegio de La Salle y, más tarde, cuando volvieron, estuve con los agustinos; mi formación intelectual se dio allí (no había colegio de jesuitas en esa época) junto a Bartolomé Riutort, Jaume Riutort, García Ruiz, amigos que aún frecuento.

De las monjas, recuerdo una que era inglesa y que quería enseñarme inglés. Se llamaba Sor Inés y siempre me decía: "Dile a tu padre que son 6 pesetas al mes, que es muy barato". No sé por qué guardo en mi cabeza este mensaje, pero entre el inglés que me enseñó ella, el que me enseñó mi padre y luego una profesora, ahora en Canadá he podido hablar con toda la gente, lo que demuestra que son muy comprensivos.

Pero si tuviera que situar el primer profesor que tuve en mi vida, volvería a hablarte de mi abuelo. Él escribía muy bien, quizá de una manera muy decimonónica, empleando muchos adjetivos. Pero a mí me gustan los adjetivos, porque creo que se puede matizar mucho más con ellos; a lo mejor son disfuncionales, pero me ayudan a dar a entender lo que quiero dar a entender, aunque se empleen más palabras, y si no las encuentro me las invento, como Ortega, pero, claro, sin su categoría. Él declamaba *El Vértigo* de Núñez de Arce y poesías de Zorrilla de memoria, esta afición me influyó porque a mí de joven me gustaba recitar *Don Juan Tenorio, Cyrano de Bergerac y El divino impaciente,* de José María Pemán, que lo sabía de memoria desde que se abría el telón hasta que terminaba.

En casa mantuvimos una educación religiosa intensa, quizá distinta de la que se daba en la escuela. El ambiente en que nací y crecí, fue un regalo precioso venido del cielo.

En 1925 recibió la Primera Comunión en la Iglesia de Sant Miquel.

# AL SEÑOR HAY QUE DESCUBRIRLO EN LO COTIDIANO Y DOMÉSTICO

L a prestación del servicio militar fue decisiva en la vida del joven Eduardo. A partir de 1937, lejos del hogar, simultáneamente entraron en su vida dos fuentes de conocimiento contrapuestas: la realidad, a través del contacto directo con el hombre profano del batallón; y el idealismo, a través de sus libros.

Hasta ese momento el mundo de sus padres había creado un cristiano singular, que había asumido la ft más por la vía pura que por la escuela católica. Lo que viviría a partir de entonces, nada tendría que ver con la educación católica que había recibido durante su niñez y adolescencia. Topó de frente con un mundo de hombres sobre los que más de una vez se preguntó «¿Será que les pesa la ley o que ignoran la doctrina?».

Por suerte, en plena Guerra Civil sus pies planos lo llevaron lejos del frente, a una oficina en la que tuvo mucho tiempo para leer y para confrontar el mundo de las ideas que leía, con las miserias humanas que había en su entorno inmediato. Fueron largos años de «mili» los que lo empujaron a descubrir que «el hombre normal que lo rodeaba en el cuartel, pese a vivir unos ambientes no solamente desacralizados, sino clara aunque calladamente hostiles a la religión católica, conservaba, sin embargo, intactos una serie de valores y comportamientos netamente evangélicos; más cristianos, a su parecer, que los imperantes en los ambientes píos que tan bien conocía. Estos valores cristianos de los no cristianos - el repudio de la falsedad y la hipocresía, la alegría no fingida, la apertura interclasista, el sentido de la amistad- le chocaron como solamente podía hacerlo probablemente a quien hasta entonces había sido educado para considerar a esos mismos no cristianos

---

1) Forteza Pujol, Francisco: Historia y Memoria de Cursillos. Ed. La Llar del Llibre. Barcelona, 1991, pp. 11 y 12.

*como `los otros', sus potenciales enemigos históricos[1]».*

*Al terminar la Guerra, la Acción Católica, creada por Pío XI, articulaba buena parte de los movimientos juveniles de España. Su líder, Manuel Aparici, recuperaba aquel sueño, aparcado por la contienda, de llevar «100.000 jóvenes en Gracia a Santiago de Compostela»; el ambiente parroquial de aquellos días se centraba en ese gran objetivo que, más que una peregrinación, era una demostración de la fuerza del bando vencedor.*

*En ese ambiente de exaltación católica, la figura de Eduardo resultaba especialmente atractiva para convertirlo en líder. Su fugaz paso por Acción Católica podemos entenderlo desde su independencia de criterios y, especialmente, desde la altura de miras de su cristianismo. En aquellos años nacieron el «Estudio del ambiente» y, no sin dificultades, los Cursillos de Cristiandad.*

*- ¿Fue en el ejército donde empezaste a cuestionar el mundo religioso que te rodeaba?*

- Nunca había admitido ciegamente lo que se me decía. Yo siempre he dicho, y no me cansaré de repetir, que no quiero creer lo que puedo saber. La frontera del saber confronta con el creer, pero creer cosas que podemos saber, me parece una burrada.

*- ¿Qué es lo que crees que te hizo crear un camino propio para ejercer tu cristianismo y para proponerle un ejercicio singular de la cristiandad a otras personas?*

- Entre cristianos no podemos hablar de caminos propios, sino interiores.

Nunca el mensaje cristiano había sido tan anodino como en aquellos tiempos; el mensaje de Cristo nunca será insustancial, pero era desangelada la manera de presentarlo. Yo intenté hacer un ramo con las verdades más importantes, recogidas de los libros que estaban cambiando el mundo. Así empezó Cursillos. Yo decía que no todos los de la Acción Católica eran tontos, pero todos los tontos se inscribían en la Acción Católica.

Hoy en día, para saber la verdad, hay que ir a los resentidos; son los únicos que dicen la verdad. Pero hay que procurar quitar la espuma de la ira, después, en el fondo, encontraremos la sustancia de lo verdadero.

*-Fue en la «mili» donde entraste en contacto con esos resentidos, con la realidad.*

Prestó el servicio militar en Palma

- En un colegio de frailes nunca se está en contacto con la verdad del mundo, a menos que se salga del ambiente y se haga una incursión. La mía fue el servicio militar, tenía dieciocho años y me destinaron a las oficinas de Intendencia, en Palma.

- *¿Qué hacías en Intendencia?*

- Desde pasear mulos de Palma a Sometimes, hasta estar en la oficina de censura de Correos. Pero nada, los soldados no hacen nunca nada, fíjate, tuve como setenta capitanes en nueve años, aquello era un lío, pero yo lo elegí porque el cuartel estaba cerca de casa, en la Plaza del Socorro, y nunca me moví de Mallorca; aunque algunas veces estuvimos en alerta para salir hacia Menorca (durante la Guerra Civil) pero, por suerte, no me moví de aquí.

Lo que más hice durante aquellos años fue leer: Santa Teresa, San Agustín, Fray Luis de León, *La divina comedia, Blanco y Negro y Don Quijote*, fueron mis principales compañeros de servicio.

Una vez le consulté a un cura si podía leer a Ortega y Gasset, me dijo que no, pero yo lo leí de todas maneras. Imagínate lo tonto que hubiera sido si no lo hubiera leído. En aquel tiempo había un padre dominico que escribió un libro titulado *La filosofía de Ortega y Gasset y*, claro, la crítica no estaba a la altura de lo criticado. Recuerdo que yo lo leí en la librería Selecta, que está junto a San Felipe Neri, y me indigné tanto con lo que decía, que solté el libro al aire olvidando dónde me hallaba.

- *¿Recuerdas cuáles fueron los libros que más te impactaron en aquellos tiempos?*

- *Frente a la rebelión de los jóvenes,* del padre Lord; *Las grandes amistades y Las aventuras de la gracia,* de Raissa Maritain; *Obras filosóficas* de Jacques Maritain; *Diálogo del Hombre y de Dios, Benito de Nursia y Magníficat* de Pieter van der Meer de Walcheren; *Contacto de existencias,* del psicólogo francés Ignacio Leep; *Historia de Cristo* de Giovanni Papini; obras de Michel Federico Scíacca, Leon Bloy, Gustave Thibon, Julián Marías, Erich Fromm y del cardenal Suenens; por cierto, un día lo encontré en Dublín y me dijo que el libro *Vertebración de ideas* le había ayudado mucho para formar un grupo de dirigentes carismáticos.

- *¿Cómo llegaron a tus manos estos títulos?*

- Hubo un sacerdote, vicario de Villafranca, que era muy aficionado a la lectura. Allí tenía una librería, a la que llamaron

Biblioteca Selecta, y hacía un diez por ciento de descuento en los libros. Luego pasó a Palma y, desde entonces, siempre les he comprado los libros. A través de este señor y de esta biblioteca nos llegaban las ideas, porque entonces en España no se publicaba nada.

También, cuando iba a Barcelona, siempre me pasaba por la antigua librería La Hormiga de Oro, que tenía lotes de libros que recibía y que no podía anunciar. Escogíamos todo lo que podíamos para estar al corriente de las corrientes que corrían en aquel tiempo. Recuerdo que comprábamos todos el mismo libro, los domingos a las siete de la mañana nos íbamos en bicicleta hacia Establiments y nos esparcíamos por el bosque. Cuando habíamos leído veinte o veinticinco páginas, nos reuníamos para comentarlo, aquello era un hervidero de ideas, fue especialmente memorable la mañana en la que leíamos a Suenens, nos entusiasmó; después, a las diez, nos íbamos a casa. Eran tiempos en que con diez céntimos de cacahuetes lo pasábamos en grande. Yo lo había organizado y me gustaría volver a hacerlo ahora para comentar, por ejemplo, la obra de María Zambrano. Actualmente estoy leyendo *Persona y democracia,* un libro que demuestra que esta mujer es una digna sucesora de Ortega y Gasset.

- *«Siempre con un libro en la mano y siempre de buen humor» es así como te recuerdan tus compañeros de mili. Fue a la luz de estas lecturas y de las lámparas del cuartel como iniciaste tu «Estudio del Ambiente» ¿Recuerdas cómo nació en ti la idea de realizarlo?*

- Lo realmente humano es verdaderamente fascinante, por eso siempre me ha llamado la atención. Si lo que quería conseguir era un movimiento que sirviera para fermentar la vida ordinaria y no para alimentar estructuras eclesiales, lo primero era tener claro «cómo está el patio», cómo son esos ambientes en que el cristiano tiene que convertirse en fermento y cuáles deben ser sus actitudes para fermentar.

- *La proximidad de la Segunda Guerra Mundial prolongó tu estancia en el ejército hasta 1946.*

-Aquello fue una verdadera escuela para conocer a fondo todas las clases sociales en su realidad más auténtica. En los ambientes descristianizados, e incluso en los más hostiles a la religión, encontré valores intactos y comportamientos netamente evangélicos, mucho más cristianos que los que conocía en los ambientes píos.

- *Después de la mili volviste al negocio familiar y, de alguna manera, tu tiempo ya no era tuyo, habías iniciado una opción singular, que es la que te llevaría a crear el Movimiento de Cursillos. ¿Tuviste problemas con tu padre por este motivo?*

- No los recuerdo. Siempre toleraron el que me fuera y nunca me pidieron cuentas de nada, a pesar de que siempre que venía decía que nunca me había divertido tanto, y lo sigo diciendo ahora.

- *Fuiste invitado al primer Cursillo de Jefes de Peregrino que se dio en Mallorca, pero no quisiste asistir.*

- No formaba parte de Acción Católica y su modo de ser no me animaba a entrar. A mí siempre me ha gustado ser libre, creo que es la libertad lo que vale. Cuando te condicionan, empiezas a perder. Y lo peor, es cuando alguno quiere que sus faltas de ortografia se conviertan en reglas de gramática.

- *Y ¿por qué aceptaste finalmente?* *En el segundo Cursillo, celebrado en 1943, ya participaste.*

- Porque me convencieron, vinieron algunas personas de Madrid en las que vi otro estilo y otras cosas. El mensaje estaba bien, ahora, los servidores del mensaje me parecían muy aburridos y yo dije que eso se tenía que airear, esa fue la idea por la que entré.

En aquellos años se hicieron famosas las expresiones: «Para Santiago, Santos» y «Peregrinar no es nada; peregrinar con fe es abrir camino». El reto era que el Cursillo de Jefes de Peregrino tocara tierra. Entendíamos que no era solamente para ir a Santiago para lo que había que preparar a los asistentes, sino para la vida. No eran católicos en peregrinación sino cristianos en el mundo, en su ambiente diario, lo que teníamos que conseguir. A tal fin nos reuníamos para estudiar lo más fiel y profundamente posible las ideas que queríamos comunicar y las situaciones concretas de las personas a las que queríamos hacer llegar el mensaje de la manera más personal posible.

Profundizamos en grupo en el estudio del ambiente. Yo contribuí con lo que había elaborado desde hacía mucho tiempo. Tratamos, ante todo, de reflexionar sobre cómo eran las personas: las catalogamos mentalmente en grupos, empezando por los cristianos coherentes, auténticos, prácticos, que piensan y obran como católicos, hasta llegar a los ateos intelectuales. Preparamos incluso fichas, siempre imaginarias, aunque sacadas de la realidad de la vida. Por ejemplo, la del «joven soldado»: «Obedece delante porque no puede menos. Refunfuña y murmura detrás porque no puede más».

En aquellas reuniones no tomaba parte ningún sacerdote, no por una voluntad explícita de excluirlos, sino porque, además de sus múltiples tareas, sentíamos que la novedad de nuestras ideas, sobre todo antes de ser plenamente estructuradas, podía turbar la mentalidad tradicional, tan apegada a un modo de obrar derivado de su ministerio.

Así fue como entró en escena el *Estudio del Ambiente* y ése fue el primer paso hacia nuestros Cursillos de Cristiandad.

Los de Acción Católica me incorporaron como profesor y los Cursillos de Peregrinos fueron un laboratorio para crear esos otros que servirían para fermentar en cristiano a las personas de ambientes alejados y para revitalizar con profundidad a los más próximos.

*-Tengo entendido que también fuiste designado para una vocalía del consejo diocesano, la de Reconstrucción Espiritual.*

- Ese fue el nombre que le dieron. Después del primer paso vino el primer tropiezo, y fue cuando dije que era importante meter en el mismo Cursillo a gente con distintos niveles sociales y distintos niveles de fe.

Pensadores que en aquel momento estaban en la cresta de la ola, como Chautard, Beda Hernegger, Hugo y Karl Rahner, Romano Guardini, Tristán Amoros Lima, los cardenales Suenens y Mercier, los psicólogos Carl Rogers y Maslow, el padre Plus... avalaban de una u otra manera la igualdad de los hombres ante Dios. Pero ahí empezaba a despegar la parte seglar del método.

*-Entonces ¿fue la heterogeneidad de clases el primer obstáculo que impusieron a tu método?*

-Algunas anécdotas pintorescas de aquellos años pueden, seguramente, proyectar luz sobre nuestras intenciones: Cuando decíamos que el Cursillo debía ser heterogéneo, reuniendo en la aventura a toda categoría de personas, cercanos y lejanos, ricos y pobres, inteligentes e ignorantes, «señoritos» y trabajadores, estudiantes y obreros... nos respondían que lo que interesaba a un estudiante no podría interesarle nunca a un peón.

Nuestra posición era en cierto sentido difícil, porque teníamos que adoptar una actitud comprensiva con los neoconvertidos cuando su espíritu desbordante e incontenible chocaba contra la rigidez petrificada de la costumbre. Por ejemplo, cuando en horas imposibles (las únicas posibles para ellos, las horas posteriores al trabajo) iban a pedir a algún sacerdote permiso para abrir la iglesia y hacer una «hora apostólica», la respuesta era neta y categórica: «No se puede abrir la iglesia a esta hora». Desde su punto de vista, el sacerdote tenía toda la razón; pero nosotros debíamos utilizar un tiempo precioso, porque teníamos que luchar siempre contra el reloj, ya que se trataba de jóvenes neoconvertidos y de procurar que el incidente no acrecentara en ellos los prejuicios viscerales que tenían contra el clero.

El espíritu del Cursillo no es otra cosa que la sustancia del Evangelio llevada a la realidad de muchas vidas; a veces irrumpe en la persona con un ímpetu efervescente que no siempre ha sido fácil embridar, pero que posee toda la fuerza de una generosidad irrumpente que impresiona, hoy como entonces, cuando el cursillo no es sofocado a fuerza de normas y procedimientos burocráticos.

El perfil del seglar que tenía que suscitar el nuevo Cursillo no era lo que ellos esperaban. Yo formaba parte de Acción Católica, pero no me gustaba aquel clima de devota apatía que debíamos dar

a nuestras actividades para qué no resultaran inoportunas. Ellos no querían aceptar el ambiente de la época y, por lo tanto, no entendían las necesidades reales de las personas a las que se dirigían.

En aquellos días, asistía a las afamadas tertulias de los Massot: Mariano y Mercedes, hermanos de don Melchor Massot, organista de Santa Eulalia y compositor, que organizaba una tertulia literaria. Ahí conocí a Lorenzo Riber, Maria Antónia Salvá, Guillermo Colóm y Bartolomé Ferrá. Yo ponía excusas para no ir a lo de Acción Católica y me iba a estas tertulias, que me gustaban más.

También, recuerdo, que una vez estuve hablando ante los de Acción Católica sobre lo que hacía en la cárcel en aquel tiempo, y uno, que era gente apostólica y buena, me preguntó: «¿Te deben de dar mucho dinero por hacer esto?» y se quedaron esperando a que dijera lo que ganaba. Entonces me di cuenta de que no habían entendido nada. No me podían entender, era como hacer cosquillas a un palo de electricidad y esperar que riera.

- ¿En este contexto nacieron los Cursillos de Cristiandad?

- Mi contacto con la gente me llevó a verificar, en vivo y en directo, que cuando el mensaje del Evangelio es acogido con fe personalizada y llega a la singularidad, a la originalidad y a la creatividad de cada uno, potencia sus cualidades humanas. El hombre, a medida que su vida en gracia se hace consciente y creciente, es llevado cristológicamente (esto es, a través de la lógica que suele usar Cristo) a acrecentar su deseo de vivir y de dar gracias por el don de la vida y a experimentar la alegría que da al comunicarlo al mayor número posible.

El movimiento de los Cursillos, por la gracia de Dios y las oraciones de muchos, nació de una viva preocupación por el hombre concreto, normal, cotidiano, el tomado de la vida de cada día y agobiado por el solo hecho de tener que vivir y poder seguir viviendo, el que raras veces dispone de tiempo para pensar por qué vive y menos aún para ocuparse y preocuparse del sentido de su existencia.

Lo que queríamos al principio, y seguimos queriendo aún, es que la libertad del hombre se encuentre con el espíritu de Dios. Todo giraba en torno a esta idea central y estábamos convencidos de que gran parte de su eficacia consistía en encontrar el modo para facilitar este feliz encuentro.

El consiliario José Dameto entendió la propuesta, que se desarrollaba en tres días, pues una semana nos parecía demasiado largo y sólo al alcance de unos cuantos.

Y así, el primer Cursillo lo celebramos en agosto de 1944 en un chalet de Cala Figuera de Santanyí, con catorce asistentes y de acuerdo al esquema que tienen hasta nuestros días, salvo dos Rollos (el primero y el último) que se incorporaron en los años cincuenta. El segundo Cursillo fue en 1946, en el Santuario de San Salvador, en Felanitx.

- ¿Cómo reaccionaron los dirigentes dc Acción Católica?

- Querían mirarlo como un nuevo Cursillo de Peregrinos, pero más corto. La polémica sobre dividir los grupos por su nivel económico, religioso y cultural, seguía viva y para mí ya era algo irrenunciable.

- En tu correspondencia de aquellos años encuentro frecuentemente dos expresiones: «meto rodillas» y «metemos rodillas para que Dios ponga su mano» ¿son tuyas?

- Creo que sí, son cosas normales, hacíamos nuestro camino y teníamos un estilo propio. Yo me sentía muy acartonado con los de Acción Católica. En aquel tiempo tenían el altruísmo de pagarnos el fluido eléctrico, pero sólo hasta las doce de la noche, después teníamos que irnos a un café o a un bar si queríamos seguir hablando de nuestras cosas, que eran las cosas de Cristo.

Íbamos a Ca'n Consell, en la Puerta de San Antonio y, como en aquel tiempo había lo del ayuno eucarístico, no podíamos tomar nada. Vaciábamos nuestros bolsillos para darle al camarero una propina y que nos dejara estar ahí. Se decía «de Colores» y eso servía para que supiera que no podíamos tomar nada después de las doce. El dueño llegó a tener tanta simpatía por nuestro grupo, que años más tarde nos regaló las sillas para la Ultreya, que entonces se celebraba en la cripta de la parroquia de San Alonso.

Esto te lo cuento para que veas cómo era el ambiente de aquellos días, pero no porque crea que era mejor que ahora, yo creo que ahora la gente es mucho mejor. Recuerdo alguna asamblea de Acción Católica en la que el cura nos decía: «Vais a dar una ojeada por el Barrio Chino para que nadie se escape». Hoy la gente es mucho más abierta, no hay tal hipocresía. Cuando recuerdo estas cosas siempre pienso en eso de Estellés que dice: «Un ateo es la respuesta lógica a una religión mal presentada».

- Tanto Joan Marsé en «La oscura historia de la prima Montse», como Manuel Vicent, en «Tranvía a la Malvarrosa» han plasmado duras críticas a «los colorines» y al ambiente que tuvieron los Cursillos en la España de aquella época ¿qué opinas de ellas?

- La de Marsé nos la merecemos, qué quieres que te diga, porque en Vich se dieron algunas exaltaciones de cursillismo que yo nunca identifiqué con lo cristiano.

De Tranvía a la Malvarrosa vi la película de José Luis Garci y reí mucho. No me quedaba más que enfadarme o reír y, como siempre, prefiero reír.

Pero lógicamente en todas estas visiones no hay muchos matices y sí una simplificación de lo que estaba ocurriendo; sólo se miran los grandes rasgos, los gestos, lo de fuera. Ninguna novela refleja las tribulaciones que se estaban produciendo, también, a partir de que propusimos la Reunión de Grupo y la Ultreya, que pretendía y pretende ser la dimensión real y social del Cursillo, el cristianismo practicado y fermentado como amistad entre cursillistas. Aquello lo sintieron como un ataque a la dirección espiritual del sacerdote, algo que, como se puede comprobar, va por otra vía.

Era un nuevo punto de vista, que en aquel tiempo costó bastante hacer comprender, porque, mientras no me demuestren lo contrario, estaba y estoy convencido de la eficacia del poscursillo, que no es otra cosa que compartir lo que se vive en clima de amistad cristiana y sin ningún tipo de subordinación, como la que puede implicar una dirección espiritual.

- ¿Qué opinaba de todo esto el obispo?

- Estaba establecido que cada año se celebrara una asamblea de Acción Católica y el presidente tenía que exponer un resumen de lo hecho el año pasado y un proyecto para el futuro. A mí me tocó hacer ese informe y cité todas las actividades realizadas, pero subrayé que habían sobresalido, sobre todas esas actividades, los Cursillos de Cristiandad. En ese momento le pedí públicamente al doctor Hervás, que se pronunciara sobre si los quería o no los quería, porque, le dije textualmente: «Si nos dice que hemos de parar, pararemos; y si nos dice que hemos de seguir, seguiremos». Y lo pregunté tres veces para que se enterara todo el mundo.

Entonces él se levantó y dijo: «Yo a los Cursillos de Cristiandad no los bendigo con una mano, sino con las dos». La gente se entusiasmó y cuando él iba a agarrar su coche lo llevamos hasta la Casa Episcopal con el coche en andas. Cuando bajó dijo: «Esto no me ha gustado nada» y yo le contesté: «Sólo faltaría que le hubiera gustado». Entonces preguntó: «Y ahora, esto, cómo se termina», nos abrieron las puertas y terminamos con una oración al Santísimo; éramos cerca de cuatrocientos.

- Hay otro suceso en el año 1949 al que muchas personas me han hecho referencia, incluso al crucifijo que llevas siempre contigo, que ha sido objeto de reproducción y de estima y aprecio por parte de muchos.

- Bueno, tú sabes que a mí no me gustan ni me dicen nada esas cosas. El Cristo que llevo siempre conmigo es mi crucifijo y nada más.

Dos hombres habían sido juzgados por un Consejo de Guerra y condenados a muerte por robo y crimen con arma de fuego. La sentencia -muerte a garrote vil- estaba a menos de veinticuatro horas de ser cumplida sin que el arrepentimiento o al menos la gracia de querer morir en paz con Dios y consigo mismos, asomara por ellos. Entonces el sacerdote de la prisión de Palma vino a nosotros pidiéndonos apoyo y contándonos eso, que había dos presos que estaban muy recalcitrantes, que no querían escucharlo de ninguna manera y que iban a ser ejecutados a las seis de la mañana: «Podríais venir a ayudarme porque ellos son jóvenes y vosotros también. A ver si podéis entablar relación con ellos», nos dijo. Entonces yo le comenté a Andrés Rullán (entonces vicepresidente de A.C.): «No podemos mandar a nadie, hemos de ir nosotros».

En aquel tiempo había mucha gente que ya había ido a Cursillos y les pedimos que hicieran oración. A mí me consta que hubo algunos jóvenes que no se acostaron y que estuvieron rezando el rosario por las Avenidas toda la noche. Hubo muchas oraciones y, apoyados en ellas, fuimos a la cárcel.

Yo tenía un susto tremendo. Siempre que cuento esto me viene a la cabeza la anécdota de un obispo que tuvimos en Mallorca, en una época en la que en Palma se declaró una epidemia de cólera y la mayoría de la gente se fue al campo dejando la ciudad desierta. Hubo muchos muertos, y cuando finalmente volvió a reinar la calma, se cantó un Te Deum en la catedral. Entonces algunas personas pasaron a saludar al obispo y le dijeron: «Le damos la enhorabuena porque usted no ha tenido miedo de esta epidemia y se ha quedado en Palma», a lo que él contestó: «No, yo miedo tuve, y muchísimo; pero cada día le pedí a Dios que me diera un poco más de valentía que de miedo...»

Por eso siempre digo que aquella noche yo tuve un poquito más de valentía que de miedo; porque miedo tuve muchísimo, no sabíamos qué íbamos a encontrar.

Estaban los dos presos en una salita pequeña y ya les habían preguntado qué querían, cuál era su última voluntad, porque los tenían que ajusticiar a la mañana siguiente. Ellos dijeron «comer una paella», lo que ya demuestra la actitud en la que estaban. Cada uno de ellos tenía como quince puros que les habían regalado y su propósito era fumárselos todos antes de las seis de la mañana... ése era el panorama con el que nos encontrábamos, un ambiente denso, aderezado con bromas pesadas y de mal gusto, una orgía barata.

Le pedí al director de la cárcel un momento para hablar con ellos (uno era de Ibiza y el otro de Mallorca) y tuvimos que esperar a que terminaran la paella. Mientras tanto, entró uno del Consejo de Guerra y le preguntaron si había visto a los presos, recuerdo que contestó: «Carne de cañón».

Me tocó hablar con el de Mallorca. Entré diciéndole:

- Cuando una persona tiene un cargo importante o han de nombrarle jefe de Gobierno, ministro o lo que sea, le salen amigos de todas partes para usar su influencia. Yo he venido aquí para pedirte una influencia.

- ¿A mí? -me contestó sorprendido.

- Claro que sí. Tú estás en una posición fenomenal con respecto a los demás porque nadie sabe el día en que tiene que morirse. A una persona le puede coger de una manera y a otra de otra, y si está en gracia de Dios todo saldrá, pero si no, ya me dirás... Ni el Papa ni ningún obispo ni ningún cura sabe esto, y es una alegría saber que mañana a las seis de la mañana...

- ¡Vaya cuento! -me interrumpió lógicamente.

- No es ningún cuento, es una realidad; resulta que esto es así. ¿No has oído hablar de que el Señor dijo al Buen Ladrón: «Hoy estarás conmigo en el paraíso»? Pues fíjate que si te da la gana, si arreglas el pasaporte, mañana estarás en el paraíso.

- Hombre, pero...

- Esto es así.

Recuerdo que algo cambió en él en ese momento. Abandonó aquella actitud de tanta paella y tantas bromas y me dijo: «Yo ahora estoy pensando en el disgusto que le voy a dar a mi madre, ¿qué te parece si le escribiera una carta?».

Empezó a escribirla, pero se puso nervioso; entonces yo cogí la pluma y él me la dictó.

Le dije que aquel era un buen pasaporte y les recordé que había dos curas: «Si queréis serviros de ellos, os escucharán en confesión...»

El diálogo duró toda la noche. Yo tenía un Cristo, que llevo siempre conmigo, lo cogía en la mano disimuladamente y él me preguntó: «¿Qué es esto?», le respondí: «No es nada, es un trozo de metal. Pero le he estado pidiendo a este Señor, que tú pronto vas a conocer, que me ayude a decirte las palabras apropiadas para convencerte de que aproveches esta gran oportunidad...» Al final, ellos pidieron la confesión.

Luego hubo una misa en la que sólo estuvimos ellos dos y nosotros dos. Comulgamos todos. Aquel que los condenó diciendo que eran carne de cañón, al final nos comentó: «Me habéis dado una lección de valentía».

Cuando terminaron el desayuno, los dos se dieron un abrazo y se despidieron diciendo: «Hasta ahora, nos vemos en el cielo». Esa era una verdadera despedida de Cursillos de Cristiandad.

Eran ya las seis menos cuatro y vino entonces una de las escenas más fuertes que yo he vivido. Aunque han pasado tantos años, todavía podría pintar la imagen de ese hombre que llegó con un traje color de oliva y lo hizo sentar diciéndole: «Siéntate, guapo».

Rullán y yo fuimos a la capilla para pedirle a Dios que los ayudara en aquel momento. De pronto, ya con el paño tapándole la cabeza, oigo que dice:

- Eduardo, préstame el Cristo que tenías- se lo llevé y murió besándolo.

Su amigo también me lo pidió y murió besándolo. El cura que nos había mandado llamar nos dijo: «Yo tengo la certeza moral de que estos hombres están en el cielo». La carta la llevamos a su madre y yo estuve meses sin poder dormir.

A mí nunca se me hubiera ocurrido decir todo lo que le dije esa noche. Siempre que recuerdo lo ocurrido veo claramente la mano de Dios.

Pero a mí no me gusta ni hablar de esto ni recordarlo, porque yo, en esencia, no soy amigo de lo truculento ni de lo extraordinario: creo que al Señor hay que descubrirlo en lo cotidiano y doméstico.

# NO HAY ALMOS Y ALMAS

*E*spaña es el único lugar del mundo donde han sido falseados algunos de los postulados básicos del movimiento de Cursillos de Cristiandad y, en contra de éstos, se han impartido Cursillos Mixtos. Una idea rechazada por los fundadores, sobre la base de una argumentación que quedó bien plasmada en la siguiente entrevista, realizada en 1996 a raíz de que la supuesta idoneidad de dichos Cursillos intentaba ser animada y propagada internacionalmente por quienes los concibieron. No era ésta la primera gran disidencia entre el Secretariado Nacional de España y los iniciadores del movimiento de Cursillos, ya que, también, se había intentado variar conceptos cardinales, tomando como punto de partida el campo semántico. Aquellos contra-principios propiciaron una buena ocasión para hacer un repaso a los conceptos fundamentales de los Cursillos y a algunas posturas de la Iglesia hacia los seglares.*

-En el año 1996 causó cierta desorientación en el ámbito cursillista, la postura del Secretariado Nacional de Cursillos de España, de difundir y defender su propuesta de Cursillos Mixtos.

- Imagino que el presidente nacional, que es una excelentísima persona, jamás hizo Cursillos, es decir, los hizo mixtos.

Las personas que dirigen el Grupo Europeo de Trabajo (G.E.T.), lo entienden perfectamente bien, pero me dicen: «¿Cómo dar a entender a unas personas que han conocido a Cristo en un Cursillo Mixto, que es mucho mejor el otro?» Yo digo: «Es como hacer entender que un traje está mal hecho a alguien que siempre ha ido desnudo y que sólo valora el hecho de que lo cubra».

En la vida, esto es igual que si vas al médico acompañado por otra persona: una cosa es que esté a tu lado y otra es que entre contigo al gabinete de rayos X para hacerse juntos una radiografía.

- En 1977 tuvo lugar en Salamanca (España) el primer Cursillo

Mixto. Me gustaría comentar contigo algunos de los argumentos que el Secretariado Nacional de España ha expuesto recientemente, en un Informe a favor de los Cursillos Mixtos, para intentar explicar por qué en sus orígenes los Cursillos de Cristiandad fueron sólo para varones: «porque eran los más alejados de las prácticas religiosas. La mujer sí frecuenta la Iglesia. La religión cosa de mujeres, de la madre, de los colegios. El joven es de la vida. Está en la vida. No había, era inconcebible, una pastoral mixta. En las misas, a un lado los bancos de las mujeres; al otro, los de los hombres. También las misas de Acción Católica. A quien había que conquistar era al hombre, era a quien lo necesitaba. La masculinidad de Cursillos era incontrovertible. Lo lógico y natural». Más adelante, en su argumentación, exponen una serie de razones pastorales; te puntualizo algunas de ellas:

Hoy toda la pastoral de evangelización primera es mixta: Convivencias, encuentros, asambleas, grupos de oración, celebración de pascuas juveniles, catequesis, acciones apostólicas, vida parroquial.

Incluso te citan a ti: «no hay almos, sino almas». Y entre las teológicas tenemos:

- «Lo que Dios ha unido no lo separe el hombre».

Ocasión impagable para que matrimonios y novios encuentren a un «Cristo de dos».

- La Iglesia es un misterio de comunión. Ser cristianos es amar juntos.

- El Cursillo, un carisma regalado por Dios a la Iglesia, Carisma que no es excluyente. «El Espíritu sopla donde quiere». Hoy el Espíritu sopla en una Iglesia de comunión.

- Yo a esto he contestado de una manera muy clara, en primer lugar, agradeciéndoles que, sin ser miembro del G.E.T., me hicieran llegar el material en el que aparece esto que tú citas, en el cual hay fallos, bastantes de ellos obviamente evitables, o al menos aminorables, si se profundiza más en el conocimiento de la Mentalidad y el Método de los Cursillos. Aunque tal cosa es casi imposible (al menos por ahora), porque los libros y las publicaciones donde los que los concibieron y estructuraron los explicitan, por no haberse editado nuevamente, son muy difíciles de encontrar en el mercado.

mercado.

Pero los fallos se deben, sin duda ninguna, a que el ansia de ir reformando los Cursillos al antojo de cualquiera, ha superado el deseo de estudiar a fondo su esencia y su finalidad; lo que ha hecho centrar más el interés en propagar las genialidades introducidas alegremente por algunos, que en intentar profundizar en su auténtico conocimiento, prescindiendo de lo que, muy acertadamente, dijo Ellermeyer: «Un fenómeno histórico puede captarse adecuadamente sólo cuando se iluminan sus comienzos».

Es curioso que desde el Boletín del G.E.T., donde quedan reflejadas las actividades realizadas en distintos lugares de Europa para poner en marcha o dar más vigor espiritual al Movimiento de Cursillos, sea precisamente España (la que por ser cuna de Cursillos, debería ser la más fiel guardiana de lo que alguien certeramente llamó «el carisma fundacional»), la que ha aportado a dicha publicación una peregrina información, desorientadora y reductora de la realidad, titulada El porqué y el para qué del Cursillo Mixto. En ella tergiversan y aderezan a su conveniencia elementos diversos como: la verdad histórica, textos de San Pablo y frases que yo dije con una intención completamente opuesta, tratando de defender, de la manera que menos dificultades ofrece, el seguir haciendo y llamando Cursillos a algo que es muy distinto de lo que los iniciadores nos propusimos y que seguimos proponiéndonos desde entonces.

Sé muy bien que a la verdad histórica no hay que defenderla, ya que con el paso del tiempo se defiende sola, y menos me siento capacitado para criticar acertadamente el pintoresco uso que se hace en el escrito en cuestión de algunas frases de San Pablo, pero entiendo que sí me concierne y me obliga el ineludible deber de tener que salir en defensa de la verdad, ya que se cita tres veces mi nombre para apoyar ideas que no tan sólo no comparto en absoluto, sino que van contra la idea primigenia y central del Movimiento de Cursillos.

No soy partidario de acudir donde no me llaman, pero si alguien trata de prostituir mi pensamiento, empleando mi nombre para defender ideas diametralmente opuestas a la verdad, dándoles un sentido completamente contrario a lo que yo quise decir al decirlo, entiendo que es de justicia hacer uso de la santa libertad de los hijos de Dios, y por lo menos protestar, aun sabiendo que el derecho del pataleo no suele ser escuchado por quienes provocan la necesidad de ejercerlo.

No obstante, siento que en conciencia tengo la obligación de decir la verdad, aun a riesgo de que el decirla pueda interpretarse como una reacción de mi amor propio, de mi orgullo o de mi ambición, que aunque sé muy bien que a menudo debo corregirme de cada una de estas tres cosas, o de las tres juntas, sería tonto emplearlas para defender la verdad, ya que la verdad, como dije, tarde o temprano flota siempre por sí misma y no necesita flotadores.

Está muy claro que es más fácil organizar una parodia de Cursillo, un Cursillo light, donde ya la cosa empieza por una motivación que no es normalmente el deseo de contagiar la fe que se vive, que se quiere vivir o que le duele a uno no vivir; sino que, sobre todo si se trata de jóvenes, la motivación es mucho más simple y hasta se pueden hacer, sin duda, muchos más Cursillos, pues se cuenta con el vigente y visceral reclamo de que vayan ellos porque van ellas, y de que vayan ellas porque van ellos. Claro que esto es mucho más fácil que lo otro, y es claro también que puede ser eficaz, pero no tan decisivo y eficaz como lo otro; pues no es lo mismo apuntar y dar en lo más personal de la persona, en el vacío más vacío de su ser, para que lo ocupe Cristo y que con Él en su interior por la gracia, se sienta singular, original y creativo, a que alguien le presente manidas pistas de ser cristiano en las relaciones que le impone su rol social, condicionado a supuestos que siempre se suponen y que no siempre son verdad, sobre todo si los candidatos se buscan entre los alejados, que tienen que ser, diga lo que se diga, el objetivo primordial de los Cursillos.

A mí me parece bien que, si así se quiere, se vayan haciendo en España Cursillos Mixtos, por comodidad, porque es más fácil, porque no se tiene arrestos para hacerlos como se debe. Lo que no me parece tan bien, es que se aprovechen de mi nombre y de la circunstancia del Boletín, para intentar universalizar una manera de hacer Cursillos, con menor esfuerzo y que no van directamente a la persona, para que ésta se encuentre con ella misma y con Dios, olvidando que lo más humano de ella es su ser, ya que así se pospone su suprema grandeza, que no estriba en sus funciones o roles, sino en ser enteramente persona.

-El encuentro de la persona con Cristo ¿se da necesariamente cuando ésta no tiene ningún rol social?

- El hombre ha de encontrarse con Cristo en el vacío de su silencio interior, y ésta es la razón de que, desde siempre la diana de

48

nuestros esfuerzos haya sido «llegar desde la piel del hombre hasta dentro del hombre», y ahí está lo novedoso del Movimiento de Cursillos, lo que lo distingue de otras cosas que pueden ser muy buenas, pero que no son lo mismo, ni consiguen lo mismo. Ésta es su característica genuina y lo que ha posibilitado que el mensaje de Cristo llegara a los alejados por no informados, por desinformados o por mal informados.

Éste es, supuesta la gracia de Dios, el medio de que Dios se ha valido para acercar el mundo a la Iglesia y la Iglesia al mundo, y lo que va consiguiendo que Cristo pueda contar con personas que en el ambiente donde viven su vida den testimonio de Él. Porque en el Cursillo, en la Reunión de Grupo y en las Ultreyas no se tiene que tener en cuenta más que lo que la persona es ante Dios y ante sí misma. No lo que la persona hace o debe hacer, que esto será decisión suya después, pues toda la estructura social que lo envuelve, si no se apoya en el eje de una actitud interna convencida y traducida por propia voluntad en decisión y constancia, se vuelve campo propicio para simular una convicción que no se tiene, o disimular el fastidio que le produce tener que hacer las cosas tan sólo porque las ve hacer a los demás. Es curioso observar que hoy se publican multitud de libros enfatizando la autoestima, la necesidad que cada uno tiene antes que todo de encontrarse consigo mismo. La lista sería interminable: «Como ser piloto de tu persona», «Descúbrete a ti mismo», «Se amigo de ti mismo», etc., etc.

Pero, volviendo al documento, hay que decir que las observaciones en que hacen referencia a por qué se empezó por los jóvenes, están completamente fuera de lugar: Desde los inicios, el Consejo Diocesano de los Jóvenes intentó abrir los Cursillos -no mixtos- para hombres y mujeres. Ya en 1952 0 53 se dieron Cursillos para chicas y novicias y ya entonces se vio claro que la masculinidad y femineidad de los Cursillos se debe a razones metodológicas y psicológicas. Distinta psicología y sensibilidad en el hombre y en la mujer, son un obstáculo para el cursillo mixto.

Y decir que los Cursillos de Jefes de Peregrinos eran una síntesis de los Ejercicios de San Igancio, hace pensar en cual de las dos cosas ignora el que lo ha escrito, pues no se parecen absolutamente en nada.

Si nos preguntamos por qué en un principio los Cursillos fueron sólo para jóvenes, la respuesta es sencilla: porque fueron ideados, pensados, rezados y estudiados por los jóvenes que en aquellas fechas ocupaban los puestos dirigentes en lo que se llamaba Rama de los Jóvenes de A.C. y era éste y no otro el sector y el lugar donde precisamente estaban llamados a ejercer sus actividades apostólicas y por lo tanto quienes, por ser dirigentes, tenían que planear y orientar sus actividades.

- ¿No te parece que en el fondo de su discurso prevalece una acusación de machismo hacia los Cursillos?

- Me tranquilizaría si sólo fuera eso. El desacierto sería más que evidente, porque, como ya he dicho, desde el principio de los principios hicimos la petición de que se hicieran Cursillos también para mujeres, y nosotros sufrimos en carne propia las negativas. En honor a la verdad, no hubo ninguna discusión y sí mucha incomprensión, porque la gente que nos llegaba del mundo nos decía que las mujeres habían de vivir lo mismo que vivían los hombres, pero, desde luego, no juntos en el mismo Cursillo; sabíamos bien, y seguimos sabiendo, que el Cursillo no puede partir ni apoyarse en la realidad externa y social del candidato, sino que todo debe ser enfocado y dirigido a cada persona en concreto, apuntando precisamente a su realidad interior y personal.

Y si al principio fueron rollistas varones, no fue por ninguna clase de machismo, sino por la pequeña experiencia acumulada y por el deseo que tenían las mujeres de captar bien el mensaje.

La incomprensión fue tan verdadera y chocante, que hoy nos resulta ridícula. Basta leer algunos apartados del apéndice titulado «Cursillos de Cristiandad para Mujeres» del Manual de Dirigentes, para colegir las pintorescas reticencias que retrasaron la decisión.

Desde que se iniciaron en 1958 los Cursillos de Mujeres, en todas partes las clausuras y las Ultreyas han sido mixtas, lejos pues de la histórica separación de sexos y del machismo. Por tanto, no era ésa la razón para no estar de acuerdo con el Cursillo de tres días para sólo hombres y solas mujeres. Mucho nos tememos que la verdadera y pragmática razón sea un fácil reclutamiento de chicos y chicas, cuando la masculinidad y feminidad de los Cursillos se debe a razones metodológicas y psicológicas.

Por cierto, qué mal traída esta cita que hacen de San Pablo, que nada tiene que ver con ese tema. Fue él mismo quien afirmó «que las mujeres en la Iglesia callen, que el hombre en el matrimonio es cabe-

feminista en la Carta a los Gálatas, donde se habla de la derogación de la Ley mosáica, ritual en favor de la fe que nos iguala ante Dios.

- Continuando con las obras del Secretariado Nacional de España, en la «Guía didáctica de Cursillos» que editan, se han intentado desterrar del lenguaje de Cursillos, palabras como Equipo de Dirigentes, Decuria, Rollo, Palanca, Rector.. el libro dice textualmente., «se entiende que sin ser imprescindible, es importante el cambio de algunas denominaciones porque también en ellas se refleja el estilo y el talante del Cursillo».

- Su propósito de introducir modificaciones queda explícitamente declarado al manifestar abiertamente, y sin paliativo ninguno, que lo que se pretende es eliminar todo lo que refleje el estilo y el talante del Cursillo. Aquí no existe ni premeditación ni alevosía ni siquiera nocturnidad; se ataca a pecho descubierto y se da a conocer la intención con que se hace. Esto se parece mucho a la frase que, de algún tiempo a esta parte, suelen emplear los atracadores al iniciar su faena: «Esto es un atraco».

Vamos a analizar uno de los cambios que proponen, mira, aquí dice: «Se sustituye el nombre de equipo de Dirigentes por el de Equipo de Responsables porque ahí no se va a dirigir nada, aunque la responsabilidad de la organización y del desarrollo del Cursillo recaiga sobre el Equipo, de ahí que tal denominación convenga aclararla en la charla preliminar».

La sustitución de la palabra Dirigentes por la de Responsables, parece cosa sin importancia, pero sólo lo parece, porque Responsable se relaciona siempre, necesariamente, con la obligación de responder y con la sanción por no haberlo hecho; mientras que la expresión Dirigente hace referencia al derecho a impulsar y específicamente al hecho de hacerlo. Ser dirigente es siempre algo dinámico, es esforzarse para ayudar a que algo o alguien avance desde la realidad al objetivo. Responsables lo somos todos en la Iglesia, no sólo los que forman parte de la organización y realización de un Cursillo; lo cierto es que si el Cursillo no lo lidera un seglar (el Rector con un grupo de seglares y sacerdotes) pasa a liderarlo automáticamente el Director Espiritual, clericalizándolo, incluso aunque no quiera.

Y se podrían analizar uno a uno los cambios que proponen, las conclusiones siempre serían las mismas: No quieren que sobresalga ningún seglar. No han comprendido (o no han querido comprender)

51

que en el Cursillo de Cristiandad el que evangeliza es Cristo, no el equipo.

También han pretendido eliminar el término palanca, una palabra surgida espontáneamente de la misma vitalidad del movimiento de Cursillos, sin que nada ni nadie haya intentado jamás imponerla y que ha llegado a ser universal. Hoy llegan cartas desde todos los lugares del globo pidiendo palanca, esta palabra es usada por todos los cursillistas y se oye corrientemente en el ámbito del trabajo manual, en las oficinas, en los despachos de los ejecutivos... Como no sea por el expresado deseo de eliminar todo lo que refleje el estilo y el talante del Cursillo, no se puede encontrar otra explicación.

Precisamente todos los pensadores contemporáneos, coinciden en que el lenguaje que se emplea en el área eclesial es diferente del que usa para expresarse el hombre de hoy. Por otra parte, los médi cos, los abogados, los psicólogos, etcétera, tienen un argot propio que facilita la comunicación entre ellos. En el movimiento de Cursillos, más que haber creado los cursillistas un argot para comunicarse entre ellos, han buscado y encontrado las palabras adecuadas para comunicarse con el hombre corriente y, en especial, con los alejados; y todo ello ha aflorado al filo del mismísimo vivir cotidiano.

- ¿Crees que la Iglesia a veces mira con recelo los dones del Espíritu Santo, quizá por que sea difícil de aceptar que su renovación espiritual pueda estar en manos de seglares?

- En todas estas manifestaciones se ha hecho manifiesta la acólita intención de querer que los seglares sean acólitos y no sean seglares que conocen su papel de seglares en el mundo, en su mundo, donde tienen que estar y actuar, y que saben bien que su cometido primordial y concreto no es intraeclesial, no es ni leer encantados ni encandilados las lecturas cuando van a misa, ni pasar humildemente la bandeja, ni llevar al corriente los libros parroquiales. Si bien, cuando esto se precise, siempre habrá quien no le importe hacer estas cosas y sabrá hacerlas con simplicidad y sencillez, no con aire de místico súper entregado, dócil y sumiso.

En la Iglesia los seglares no deben mandar nunca. Cuando desconocen los límites de su función e invaden la zona clerical, distorsionan su papel. Tal vez lo más logrado del Movimiento de Cursillos, cuando es entendido y llevado a la práctica con honrada fidelidad al carisma fundacional, es el ensamblaje preciso y justo entre el cometido del sacerdote y el de los seglares. Logro que precisamente el estilo y el talante del Cursillo va consiguiendo en todo el mundo, donde sacerdotes y seglares se vienen tratando como personas y sin abusos de extemporáneas sacralidades y exacerbadas secularidades que el interés por la fidelidad del Cursillo deja fuera de área.

Actualmente, en muchas partes del mundo, sacerdotes y seglares se van conociendo mejor entre ellos y apuntando los dos a lo mismo: lograr que los que el Cursillo ha reunido en nombre del Señor, vayan dándose cuenta de que Dios les ama. Entonces es cuando la amistad, que ya se inició o se renueva al calor de la ilusión de preparar el Cursillo, va surgiendo progresivamente y de manera espontánea, a medida que se viven con cálido interés todos los pormenores de la aventura que el vivir intensamente el Cursillo reclama, desde sus inicios hasta el intento de saber después si el que fue invitado al Cursillo entendió de qué se trataba; es decir, si el Cursillo le ha servido para amar más la vida y, por tanto, si le ayudarán en su vivir los medios que, desde siempre, se ha procurado que tenga a su alcance el que ha vivido esta experiencia, que son: la Reunión de Grupo (la vida como realidad compartida en amistad) y la Ultreya (circunstancia que posibilita que lo mejor de cada uno llegue a los más posibles).

Pero, por haber encauzado la generosidad de los seglares única y exclusivamente hacia el terreno de lo pío, hoy en día la Iglesia apenas puede contar con hombres que la encarnen en el mundo de lo real, con espíritu y con estilo; hoy que tanta falta hay de líderes cristianos que se tomen en serio y se empleen a fondo para posibilitar lo cristiano en la vida, y donde tantas dificultades existen para que surjan, es curioso que se pretenda chafar una evidente, simple y concreta manera de propiciarlos y conseguirlos, una manera que ha venido funcionando con rendimiento (comprobado y comprobable) desde los inicios del movimiento de Cursillos.

Aquí se ha secuestrado la esencia y la mentalidad de los Cursillos. Algunos no han comprendido el método, que da en la diana exclusiva desde adentro del Hombre hasta la piel del hombre, y que toma en cuenta a la persona y no a sus circunstancias.

Gandhi dijo que «si una revolución no conduce a una transformación personal, es como hacer agujeros en el mar». Cursillos te conduce a esa transformación partiendo de una educación diametralmente distinta de la que hasta ahora, con la mejor de las intenciones, nos ha impartido la Iglesia: a un niño pequeño se le enseña cómo tiene que hacer las cosas y cuando tiene la edad de saber el porqué, éste no se le dice; así, hacemos toda la vida una serie de cosas de las que se ignora el porqué, solamente sabemos el cómo: cómo tienes que estar en la iglesia pero no por qué. Cuando una persona tiene su porqué interiorizado es cuando es original, es sincero, es persona. Y cuando descubre que es singular, tiene un espacio para poder ser creativo y para darle, incluso a la religión, su marca personal; pero esto no interesa, porque hacen más servicio cuarenta tontos que un listo.

El mensaje del Secretariado Nacional no tiene nada de genial. El nuestro tiene la genialidad del Evangelio, lo cual no es ningún mérito nuestro. Sentido común codificado y nada más.

- Es lógico que un movimiento con la fuerza y profundidad de Cursillos de Cristiandad se ramifique.

- Claro que sí. Kairós es un buen ejemplo. El Kairós salió de los Cursillos, se produjo porque hubo un presidente en los Estados Unidos que entendió muy bien los principios del movimiento, que era muy bueno aunque, a veces, demasiado estricto para salvar la ortodoxia de los cursillos. Tanto, que le pidieron que se fuera a dar unos Cursillos a la prisión y no quiso hacerlos, argumentando que en la cárcel la gente era toda igual y que en el Cursillo era condición la pluralidad de los asistentes.

Yo creo que no tenía razón, porque en la cárcel hay gente de la más diversa procedencia y no hay nadie igual. Pero era su decisión y fue entonces cuando hizo unos Cursillos para presos, pero llamándolos de distinta manera, que es lo que tendrían que haber hecho en España. Si querían hacer Cursillos Mixtos, bastaba con que reconocieran que no era lo mismo y los llamaran con otro nombre. En Estados Unidos hay un acta notarial que impide usar la palabra Cursillos para otra cosa que no sea Cursillos de Cristiandad.

Los neocatecumenales, de Kiko Argüello, es otro movimiento que partió de un cursillista, pero nada tiene que ver con Cursillos, persigue otros objetivos.

- Recapitulando en las dificultades que se le han presentado a Cursillos a lo largo de su vida, y de la tuya, ¿era previsible un desarrollo tan conflictivo?

54

- Recapitulando en las dificultades que se le han presentado a Cursillos a lo largo de su vida, y de la tuya, ¿era previsible un desarrollo tan conflictivo?

- Alguien ha dicho que la Historia es una gran maestra, y otros han dicho que es una fe de erratas. Sinceramente creo que para reflexionar sobre lo sucedido con el Movimiento de Cursillos de Cristiandad, nos podemos aprovechar de las dos cosas: de la experiencia de lo vivido y de lo ocurrido entonces, se comprueba que podría haberse hecho mejor. Con ello se puede ir logrando que el instrumento de los Cursillos de Cristiandad se vaya perfilando en su realidad, y afilando y afinando en su acertado empleo en orden a su específica finalidad, para disponerlo mejor cada día y que así pueda ir cumpliendo con más eficacia su objetivo.

Para comprenderlo basta repasar nuestra historia: Lo que hoy llamamos Cursillos de Cristiandad, fueron concebidos por un grupo de seglares, y la idea, su finalidad, su estructura y la disposición de los rollos fue seglar y sólo seglar; ahora bien, cuando éstos fueron presentados a la jerarquía, le entregamos todos los rollos, notas y apuntes. Entonces, accediendo a nuestra petición, y porque entendíamos que necesitábamos sentirnos más Iglesia, pedimos que se nombraran, como así se hizo, unos sacerdotes, gracias a los cuales (dicho sea en honor de su gran comprensión y a la libertad con que nos dejaron actuar), pudo conseguirse que el movimiento de Cursillos tuviera una infancia feliz y sin mayores preocupaciones que las normales de un movimiento nuevo que rompía, y sigue rompiendo, muchos esquemas.

Después de estos sacerdotes primeros, vinieron otros, y sin duda ninguna con la mejor voluntad y con la intención y el deseo de ser más fieles a la Iglesia, enderezaron un tanto los Cursillos hacia su eclesial visión de aquel tiempo, interesándose más porque los cursillistas les ayudaran a vitalizar y animar a sus organizaciones preferidas, ya existentes, que a pertrechar y disponer a los cursillistas para que pudieran dar testimonio y razón de su fe, en el mismísimo ambiente en que la vida les había plantado.

Estos mismos sacerdotes elaboraron una definición del Movimiento de Cursillos, que nunca nos pareció bien a los iniciadores: «Los Cursillos de Cristiandad son un Movimiento de Iglesia que, mediante un método propio, posibilitan la vivencia de lo fundamental cristiano en orden a crear núcleos de cristianos que vayan fermentando evangélicamente los ambientes ayudándoles a descubrir su vocación personal y los compromisos que se derivan por el hecho de estar bautizados».

Esta definición, que se dio por buena en la primera y en la segunda edición de las Ideas Fundamentales contra la voluntad expresa y expresada por los iniciadores, traduce un clima a todas luces contrario al espíritu y al talante del Vaticano II.

Posibilitar es facilitar, simplificar, allanar, no complicar innecesariamente las cosas. Los núcleos no se crean, están ya creados, existen, lo que hay que hacer es descubrirlos, localizarlos.

La vocación personal la va descubriendo cada uno. Una intervención no solicitada, en esta materia, molesta a los que tienen personalidad.

Cuando se ha comprendido lo que es y significa el bautismo, se maravilla uno de la dignidad consustancial al hecho de haber recibido el bautismo y no precisa que nadie le descubra paternalmente los compromisos que de él se derivan.

Por eso, cuando se habla de renovación, de puesta al día, creo que los Cursillos han de empezar por renovar su definición. Por mi parte, si ello fuera posible, también renovaría el nombre. Lo de Cristiandad tiene connotaciones que dan a entender que lo que se quiere es un retorno a lo que fue el «cristianismo oficial» aceptado sin más por todos, mientras no se demostrara lo contrario.

Evidentemente, la palabra «cristianía» expresa mucho mejor y da a entender con más claridad de lo que se trata. Cristianía es algo personal: dc alegre alegría. Nos ha alegrado especialmente ver entrar esta palabra por la puerta grande de la teología, de la pluma de uno de los teólogos de tan ganado prestigio y sólida formación, como Olegario González de Cardedal, en su libro La Entraña del Cristianismo.

Diríase que el cristiano hoy, está llamado a circular por la vida con un bagaje de convicción personal, de personal cristianía, que se traduzca en su vivir cotidiano, teniendo y empleando un criterio cristiano, para tratar de ir aplicándolo en todos los avatares de su vivir, con el fin de poderse dar a él mismo razón de su fe y de poderla dar, también, a los de su entorno.

El darse él mismo razón de su fe, no quiere significar en manera alguna que tiene que gozar de una autonomía salvaje, sino solamente de la precisa y suficiente para poder obrar con la santa libertad de los hijos de Dios en su circunstancia concreta, sin la «beatífica» actitud que produce el saberse cumplidor de una norma al pie de la letra, sino con la santa inquietud consustancial al hecho de emplear con nobleza el criterio oportuno, y hasta sintiendo tal vez en lo hondo de sí mismo cierto comprensible temblor agradecido por intentar y conseguir ser fiel al espíritu.

- ¿Cuál es, entonces, la definición a la que debe acogerse el Movimiento de Cursillos?

- Para que responda más a la propia identidad del Movimiento y, al mismo tiempo, resulte veraz, interesante y atractiva a las personas de hoy, sobre todo a los jóvenes, siempre hemos entendido que debería formularse así:

«Los Cursillos de Cristiandad son un movimiento que, mediante un método propio, intenta desde la Iglesia que las realidades de lo cristiano se hagan vida en la singularidad, en la originalidad y en la creatividad de la persona, para que, descubriendo sus potencialidades y aceptando sus limitaciones, conduzca su libertad desde su convicción, refuerce su voluntad con su decisión y propicie la amistad en virtud de su constancia en su cotidiano vivir individual y comunitario».

Cuando se habla de renovar a ultranza los Cursillos, normalmente se ignora que su esencia, su núcleo más vivo, no tiene una dimensión visible en el espacio, porque se mueve al nivel íntimo y profundo, donde la impresión es tan evidente para uno mismo, que la interpretación ajena nunca puede expresarla con exactitud.

La tentación de «estar al día» y querer cambiar «lo de antes» por «lo de ahora», equivale a olvidar que la fidelidad al movimiento de Cursillos (precisamente por su gran simplicidad), consiste en que, desde la perspectiva de hoy, se vaya quitando lo que era «de antes» para que quede más escueto y vigente «lo de siempre».

La actitud del hombre o de la mujer ante lo personal vital (que es el área de influencia del Cursillo en la persona), es siempre la misma en todas las latitudes, lugares y culturas. Y la actitud no ocupa tiempo ni espacio, es una postura ante el hecho de vivir.

El Cursillo no tiene que salirse nunca del área del «qué», porque está pensado para que todos los que sean capaces de comprenderlo, vayan descubriendo que desde el eje de su vida en gracia, y empezando por los más cercanos (aquí, ahora, desde ya y desde yo), vayan intentando trasparentar lo que significa, para quien ha vivido un Cursillo, sentirse amado por Dios en su existir normal, natural y humano. Todo ello va dinamizando y dando um nuevo sentido a la perspectiva de su cotidiano vivir.

El recién salido de un Cursillo tiene que tener una pista adecuada para que después de los tres días se le pueda ir esclareciendo su convicción, se sienta animado en su decisión y afirmado gracias a su constancia.

Sabemos que cada quién es libre para seguir o no seguir la opción que se le ofrece después de los tres días, pero sabemos también que si lo que se le ofrece después del Cursillo tiene el mismo espíritu y el mismo talante que él conoció, vivió y le gustó, lo más probable es que también le guste.

Lo que se le propone es que ponga los medios para ser y sentirse persona en el mundo, en su mundo, en el que vive, en el que Dios lo plantó, en el que crece y se desarrolla.

Si bien, no debemos perder de vista que no es lo mismo mantenerse fiel a lo aprendido durante tres días, que hacerlo plan constante y cotidiano de su vivir; pero lo que importa es que lo que se le ofrezca sea para él veraz, atractivo, útil y alegre como lo fue el Cursillo si aportó lo que se le pidió el primer día.

Si el enfoque que se da en el Cursillo, y sobre todo en el post-cursillo, es el servicio que los cursillistas han de prestar a la Iglesia institución, aumentando las «personas de iglesia» que ya existen, gracias a Dios, en todas las parroquias; no resulta de los Cursillos ningún avance, ni ninguna novedad, ya que éste ha sido siempre el rutinario cauce que se ha venido dando a la inquietud cristiana, y todo ello nos parece muy bien, pero estamos convencidos de que no es suficiente.

Evidentemente, lo más novedoso del Cursillo y su mejor fruto es el entusiasmo que causa descubrir y comprobar a través de los

tres días del Cursillo, y después de él, que existe un grupo vivo de cristianos amigos, que tratan de estar enraizados al Evangelio en espíritu y en verdad, que procuran hacerlo vida, en su vida misma primero, y que desde el mismo lugar que ocupan, intentan integrar lo cristiano con naturalidad en su normalidad, de tal manera que les resulta gratificante, atractivo y alegre para ellos y para los de su

- La defensa personal no me parece correcta, ahora, cuando has de defender algo que vale más que tú, hay que jugarse el tipo. Desde Mallorca estamos protestando del secuestro que se ha hecho de los Cursillos. Entiendo que es mi responsabilidad y no me quedaría tranquilo sino dijera que, por ejemplo, los Cursillos Mixtos van contra la esencia del Movimiento de Cursillos. Nadie está obligado a escucharme, pero yo, en conciencia, me veo obligado a decir esto, ya que sabíamos entonces, y gracias a Dios seguimos sabiéndolo todavía (y es lo que nos obliga a insistir y a reiterarlo), que lo más importante del Cursillo, lo más esencial, el área donde el Cursillo apunta, actúa y fermenta, no es en el rol de la persona, sino a la persona misma, no a su circunstancia, no a que sea hombre o mujer, casado o soltero, joven o viejo. Y es en ese sentido que hace muchos años dije, y sigo diciendo ahora, que no hay almos y almas, sino sólo almas.

Imagen de Bonnín en su juventud.

# NUESTRO MOVIMIENTO PRECISA MÁS DE PERSONAS QUE SEPAN CREER, PUES YA TENEMOS MUCHAS QUE CREEN SABER

*Desde una óptica unidimensional, resulta delicado comprender que una persona como Eduardo Bonnín, cuyo «pecado» ha sido crear Cursillos de Cristiandad y defender sus orígenes y principios, pueda ser un perseguido. Pero sólo basta mirar atrás cinco siglos y situar en una misma Historia a un filósofo dominico quemado en la hoguera o a una Encyclopédieu condenada, para comprender que no es tan inexplicable que a finales del siglo XX pueda existir un seglar apartado y bajo sospecha. Cuando el seglar conecta con la trascendencia y no se limita a los quehaceres eclesiales, se transforma en una figura inconveniente, tan incómoda como la verdad que representa.*

*Encontrar dos definiciones de Cursillos o dos escenarios y fechas distintas para situar el primero que se impartió en el mundo, no es una simple anécdota o un detalle sin importancia, es la punta de un triste iceberg en el que conviven dos historias de Cursillos: la real y la oficial Como todas las historias oficiales, la de Cursillos está escrita con silencios y teñida de oscuridades.*

*Intentar dar luz a /os hechos y borrar algunos silencios, fue el propósito de esta difícil entrevista, cuyas preguntas -mayoritariamente- las pude extraer de la lectura de su correspondencia, en ella aparece el perfil más callado y acallado del fundador de los Cursillos.*

- Una conclusión fócilnicnte extraible de tu correspondencia de los años SO y 60 es que, mientras en el mundo los Cursillos caminaban, en Mallorca había frenos y problemas.

- Aquello de que nadie es profeta en su tierra, a veces es verdad. Además, en Mallorca la gente es enormemente clerical. Y la mayoría de curas, no todos, quieren nuestro trabajo intraeclesial: me sirves para trasladar bancos, sabes tocar el órgano, quieres ser catequista...

-En una carta de principios de los años SO comentabas: «Hay una novedad que si no la sabes te va a gustar y que te unirá a nuestras acciones de gracias. La otra noche, a la una y media de la madrugada, don Rafael, nuestro obispo, estaba observando desde su coche lo que sucedía en el barrio chino palmesano. Dio vuelta en la Puerta de San Antonio y recorrió las calles de Alfarería y Herrería ¿no te parece esto fórmidable?»

Al final de este comentario escribías: «A nosotros desde entonces nos pasa aquello de los soldados de Napoleón, que cuando veían la lámpara en la tienda del jefe, estaban con más ganas de combatir. Uno se acuerda después que la palabra obispo significa «el que vela» demos gracias a Dios...»

- A veces la palabra no responde a esta definición, pero a veces sí. No recuerdo a quién le escribí aquella carta, era un hecho que valía la pena comentarlo porque había un cambio de talante muy importante en el obispado. Que a aquel otro le hubiera interesado enterarse de lo que sucedía en el mundo que le rodeaba, era impensable.

- Pocos años después, en otra carta, dices: «he restablecido el diálogo con el doctor Hervás», ello significa que en algún momento estuvo roto.

- Él era un hombre difícil. A las autoridades deberían obligarlas a ir en autobús en horas punta para enterarse de cómo está el patio, porque si no, desde el puesto de mando, no se averigua nada. Al revés, todo el mundo disimula ante ellos y viven una realidad ficticia.

Con él sucedieron cosas que vistas desde hoy resultan bobas y tontas, por ejemplo: oía la palabra «machote» y decía que un teólogo le había indicado que estaba mal y que, por lo tanto, si alguien la decía, había que echarlo fuera del Cursillo. Él hizo caso a muchos recados de esta categoría.

Mira esta anécdota: A un chico de aquel tiempo le faltaban veinte mil pesetas para casarse, y él contó que después de su trabajo iba cada día a hacer la visita al Santísimo, en la Iglesia de las Carmelitas, y a hacerle la petición de esas veinte mil pesetas. En la Iglesia, que a esa hora estaba sola, coincidía siempre con un hombre rico que tenía una fábrica de zapatos y un día este señor se le acercó y le preguntó: «Qué estás pidiendo», y él le dijo: «Veinte mil pesetas, que es lo que me falta para casarme». El señor contestó: «mañana las tendrás» y cumplió.

Pero el chico contó, y yo quiero suponer que fue así, que ese día, cansado de no recibir respuesta, le había dicho al Señor: «Tú no eres tonto pero te estás haciendo el tonto, así que voy a pedírselo a la Virgen y por su mediación tendrás que decirme que sí». Sucedió entonces que en una Ultreya este chico habló y, haciendo referencia a un chiste que se contaba mucho en aquella época, dijo: «Si no se abre un paracaídas siempre tenéis este otro, porque la Virgen no os va a fallar» y en ese momento se emocionó por lo que le había ocurrido y empezó a decir: «Porque la Virgen es la mujer más bonita, la chica más guapa...» y siguió en sus exaltaciones hasta que terminó llorando y, sin encontrar mejores palabras para sus loas dijo: «Es que la Virgen es la caraba en bicicleta». Yo estaba enterado de por qué lo decía, pero nadie más lo sabía.

Pues a la mañana siguiente, antes de que el obispo tomara su desayuno, ya tenía en su casa al beato de turno diciéndole la definición que se daba a la Virgen en Cursillos.

El obispo me mandó llamar y yo, haciendo referencia a un chiste de El Quijote que se contaba mucho por aquellos tiempos, le dije: «Algún día a usted le van a decir que nosotros hemos escrito El Quijote y esto no va a ser el drama, el drama va a ser que hasta vuecencia se lo va a creer».

- En una carta fechada el 14 de enero de 1965 y a propósito de una invitación para asistir al Cursillo cien, escribías: «Siempre ha sido el doctor Hervás el que ha frenado o impulsado mis impaciencias» ¿Qué había ocurrido con el obispo?

- Nos amenazó con terminar los Cursillos de un plumazo, argumentando que le dábamos muchos disgustos. En aquellos días hubo una persona que dijo que, afortunadamente, eso de Cursillos iba a pasar rápido porque era «agua de borrajas». Entonces uno se levantó en aquella reunión diciendo que llevaba doce años de cursillista y que todavía no le había pasado; todo el mundo empezó a gritar. Este señor fue al obispo diciendo que se le había insultado, pero, por suerte, se grababan los debates y no se oía nada que pudiera ofenderlo.

Don Bartolomé Torres[1] no comprendía el Concilio Vaticano II ni las reformas de Juan XXIII; decía que el Papa estaba loco, que aquello era una chochez y explicaba esto en el seminario. El obispo se enteró y le previno diciéndole: «El rector del seminario es un hombre de confianza del obispo, no digas esto pues me estarías obligando a quitarte del seminario».

Me imagino que don Bartolomé entonces pensó: «Tú me quitas del seminario pero yo te quito de Mallorca». Porque las cosas fueron así: se fue a vivir con el hermano de Madrid y como eran de la high society tomó contacto con la nunciatura y al doctor Hervás lo enviaron a Ciudad Real. Torres tuvo influencia para proponer como obispo a un amigo suyo, el doctor Enciso, al cual ya le había hecho la pastoral incluso antes de ser obispo.

Hay una anécdota al respecto: en Esporles un sacerdote viejito leía a los jóvenes de la Congregación Mariana la pastoral del Dr. Enciso, el cura reconoció el texto y comentó: «Pero si esto lo hizo Bartolomé Torres hace mucho tiempo»... Han pasado cosas muy pintorescas en la historia de Cursillos, ahora, tantos años después, no sé si hay que reír.

---

1) Torres Gost, Bartomeu. (Sa Pobla 1905 - 1989). Investigador. Estudia (1915 - 25) Humanidades, Filosofía y Teología en el Seminario Conciliar de Sant Pere, del que más tarde sería rector (1949-59). Ejerce como canónigo decano (1961 - 86) en la Catedral de Mallorca. En 1956 fue nombrado presidente de la Comisión Diocesana de Prensa Católica.

En Forteza Pujol, Francisco: Historia y Memoria de Cursillos. Ed. La Llar del Llibre. Barcelona, 1991. p. 110:

«...la postura anti-cursillos en Mallorca estaba liderada por el canónigo mallorquín y Rector de su Seminario Mayor D. Bartolomé Torres Gost, que no se recataba en decir en público y en privado que estaba preparando un amplio dossier sobre los errores y desviaciones de los Cursillos. Pues bien, un hermano seglar de Torres Gost, ingeniero y residente en Madrid, era una notoria personalidad del Opus, y entiendo que fue el cauce para que aquel dossier llegara a la Nunciatura con el apoyo más o menos explícito del Opus Dei, alarmado como organización ante la vinculación aparente entre Cursillos y Operarios Diocesanos, y sin duda convencido además de que los Cursillos contenían peligrosos errores "modernistas"».

- En una carta de aquella época comentas: «Mi situación es muy pintoresca y todo movimiento mío despierta una serie de susceptibilidades». Este comentario lo encontré repetido en muchas otras cartas. En otra, decías: «Estoy en entredicho y no se me permite ejercer mi libertad». Y todavía en una carta de 1969 podemos leer: «el haber dicho algunas verdades en las alturas, me ha situado fuera de juego». ¿Cuánto duró esta situación?

- Era la verdad y creo que todavía lo es. Entre otras cosas por su apoyo a Cursillos, al doctor Hervás ya lo habían enviado a Ciudad Real y eran tiempos del doctor Enciso, que hizo una pastoral[2] que nos hizo sufrir bastante. Cuando salió publicada pidió protección al gobernador, pues temía que fuéramos a asaltar la casa episcopal.

- No tomasteis por asalto la casa episcopal, pero sí fuiste a hablar con él.

- Era mi obligación transmitir el pesar que estaban viviendo muchos cursillistas. Y nunca había visto dar tantos golpes en la mesa.

- ¿Qué le dijiste?

- Sólo le hice una pregunta: Si un obispo me dice que yo he estado en tal fecha en tal país, y no es verdad, mi deber como católico es ¿decir que he estado o que no? Cuando él con toda lógica respondió negativamente, yo le señalé «entonces lo que dice su pastoral no es verdad, señor obispo». Dio por concluida nuestra conversación gritándome: «¡Esto es lo que yo quiero!»

- ¿Tenía algo personal contra ti?

- No, pero yo encarnaba aquello que amenazaba a la Iglesia, según su consejero.

Lo que defendía entonces, y lo que he defendido siempre, es el fruto de los Cursillos; si con otra cosa se consigue lo mismo, estoy

2) Ver Enciso Viana, Jesús: Carta Pastoral Sobre Cursillos de Cristiandad. Boletín Oficial de la Diócesis de Mallorca, 25 de agosto de 1956. (También, publicada por entregas en el Diario de Mallorca).
El documento destaca como «fruto bueno» de los Cursillos la conversión de los alejados; y como «frutos malos», la división de los fieles, el abandono de prácticas piadosas, la falta de propiedad de su vocabulario... Y, en consecuencia, prohibe la actividad del movimiento de Cursillos de Cristiandad en la diócesis de Mallorca.

conforme; pero que se demuestre. Yo siempre he dicho que me parece bien que me persigan, pero no en nombre de Cristo, sino en nombre de su propia tontería.

- La primera disgregación que se da en el mundo de Cursillos ¿fortaleció en ti los principios fundacionales o te hizo titubear?

- No es una disgregación, hay que llamar las cosas por su nombre: aquello fue un secuestro.

Lo que cuesta es convertir a la gente de la ley a la fe. Cuando una persona tiene una crisis de identidad, lo mejor es convertirla a la ley, pues con ella se defiende. Ahora, como la fe es todo lo contrario de la ley, resulta que apoyarse en ella es salir con riesgo y no por el riesgo en sí, sino porque siempre va delante la ley a la fe, no hay duda ninguna. Las personas que cumplen por fe siempre tienen conflictos, en cambio, si cumples la ley no tienes ninguno.

Insisto: Lo que cuesta es la conversión de la persona de la ley a la fe, por eso es que todo se hace tan difícil cuando los Cursillos están en manos de la gente de la ley, porque ya se ha institucionalizado y no son lo mismo.

Lo que han hecho los secuestradores es reforzar el mundo de la ley y, claro, estamos todos en la ley, pero no se trata de esto; los Cursillos trabajan para el mundo de la fe, para comunicar el gozo de la fe, no las normas de la ley. Hay muchas diferencias, pero en todos los avatares esas diferencias han salido fortalecidas.

- El secretariado diocesano de Ciudad Real ¿comprendía esto?

- Creo que lo comprendía todo el mundo, antes de las posteriores actualizaciones que se inventaron en Madrid. Al principio de los princpios la gente acogía el Cursillo con una ilusión e interés extraordinarios, pero surgieron protagonistas que, con el propósito de actualizarlos, los desactivaron. No está mal, nunca lo estará, reunir a personas para hablar de Cristo, lo malo es que a esto también lo llamen Cursillos.

Citando la Biblia, el obispo de Tarragona dijo en cierta ocasión que a los Cursillos les pasó como a José cuando sus hermanos le cogieron envidia porque le habían regalado una túnica de colores.

En la actualidad hay gente que no conoce los Cursillos, no tiene puntos de referencia, y no sabe cuál es la diferencia entre ir a comer unas tapas o haber sido invitado a un banquete.

Ahora, a la gente que no comprende el por qué y el para qué de Cursillos, le van bien las tapas, no es que sepan mal; la religión sirve para religar el hombre con lo trascendente, pero Cristo eligió otro camino, que es el de la gracia, por el que se interioriza su criterio en la persona. Esto es completamente distinto y es algo que va recto al corazón, primero, y luego a la cabeza; porque del corazón a la inteligencia es más fácil el camino que de la inteligencia al corazón.

En los Cursillos se habla primero de Ideal porque es el núcleo que asocia todo lo demás en la persona. Otras corrientes defienden una síntesis de valores que se polariza según la edad, pero cuando se polariza en un Cristo vivo, normal, cercano, la polarización de la primera edad sirve para la última edad. El objetivo es que no se deteriore la persona cuando el ambiente está deteriorado.

- De la lectura de algunas cartas de aquellos años, se deduce que eras perseguido y muy de cerca ¿es correcta esta apreciación?

- ¡Hombre! llegaron a ordenarme que no viajara y que les enviara todas las cartas que recibía y también la contestación. Pero si yo en aquel tiempo me hubiera rebelado, seguramente hoy no tendríamos Cursillos.

- Nunca se me había ocurrido preguntarte lo que piensas sobre la Inquisición.

- Cuando la Iglesia no ha sido humana no ha sido cristiana. Y la Inquisición, obviamente, no tuvo nada de cristiana. La jerarquía ha impuesto normas en vez de crear criterio, porque no quiere comprometerse. Alguien ha dicho que creer es comprometerse, pero no es así: vivir es comprometerse.

- *¿En el siglo XVI habrías sido candidato a la hoguera por ser creador de los Cursillos?*

- Supongo que sí, pero, a lo mejor, también tienen ganas de quemarme ahora, no te creas.

- *En un viaje a Nueva York, tuviste un interrogatorio.*

- Hubo una comisión de Nueva York que me hizo un interrogatorio, yo sólo podía contestarles sí o no y así pretendían indagar sobre los conceptos fundamentales de los Cursillos.

Su conclusión fue que estudiando a fondo el Cursillo, nunca puede haber una óptica de sacerdote en todo esto. Me lo dijeron ellos: «Técnicamente tienen que ser seglares», yo ya lo sabía pero me lo dijeron, porque tiene que ser así.

Después vinieron para hacer un libro que se titula: *Cómo engañar a los elegidos,* que lo hicieron un grupo de psicólogos informados de lo que era el Cursillo, pero que no se informaron; creyeron todo lo que les dijeron, porque no sabían nada y narraron todas las barbaridades que, según ellos, se hacían en Cursillos. Decían, por ejemplo, que a los cursilllistas se les quitaba el reloj para que únicamente el Rector pudiera saber la hora.

- *En una carta de 1971 mencionas que tenías problemas para ir a Nueva York ¿cuáles eran?*

- Los que mandaban no consentían el viaje, pero había sido invitado a la Ultreya Nacional. La Ultreya fue estupenda, fue algo profundo, como todo lo sencillo.

Lo problemas han surgido porque en el movimiento de Cursillos a los seglares nos preocupa el hombre y, en cambio, a algunos sacerdotes les importa el mundo. Difícilmente nos vamos a encontrar en esta divergencia, porque el mundo no tiene solución; en cambio, el hombre tiene arreglo y quizá él pueda cambiar el mundo. Pero esto parece que no interesa, ellos lo que quieren es un imperialismo, que la Iglesia vuelva a mandar, y cuando manda la Iglesia a veces no manda Cristo, es algo muy distinto.

- *En la Enciclopedia Flick Martin encontramos treinta páginas dedicadas a* la *historia de los Cursillos, el documento está escrito por el sacerdote Cesáreo Gil, asesor nacional del Movimiento de Cursillos de Cristiandad (MCC) en Venezuela y director de Ediciones Trípode. En ese trabajo hay incongruencias, incluso, en datos que son esenciales para entender los orígenes de Cursillos ¿qué opinas de esta historia?*

- Se ha construido una historia como si se hablara de la contabilidad de una empresa: Se hacen multiplicaciones de Cursillos restando siempre a los seglares y sumando a los curas. Ésta es, en síntesis, mi opinión. Sus cuentas les salen bien.

- *La historia que el padre Cesáreo envió a Roma, sugiere que el MCC es fruto de la creatividad de la Iglesia, concretamente dice:*

más transparente, además de remitirse a los hechos, sería hacer pública la correspondencia que hemos mantenido, durante años, sobre este tema.

*- Precisamente en una carta que te dirigió el 3 de mayo de 1997, y a la cual he podido tener acceso porque, como tú sabes, le ha interesado darle difusión, el padre Cesáreo te señala que: «los Cursillos de Adelantados de Peregrinos se concibieron en Madrid, y, desde Madrid se llevaron a las distintas diócesis, entre ellas a Mallorca. En Mallorca se dictó el primero en 1941. Al segundo invitaron a un joven, que estaba en el servicio militar en servicios auxiliares, y que se llamaba Eduardo Bonnín. Ese joven asistió al segundo Cursillo. Ese joven destacó. Y el Presidente de los Jóvenes de Acción Católica (A.C.) le encargó un tema para el tercero, un tema sobre el estudio del ambiente. Ese joven actuó en los cursillos siguientes. Ese joven fue también a Santiago. Y, al regresar, cuando los del Consejo de la Juventud de A.C. Mallorquina, (CJACM), se preguntaron ¿qué hacemos? esos Cursillos que han dado tanto fruto, ¿por qué no los continuamos? Y alguien replicó: No puede ser porque esos Cursillos eran para conquistar Jóvennes para una Peregrinación a Santiago, que ya se hizo. Otro puntualizó: Pero pueden organizarse para conquiastar para la A.C.»*

*La historia sigue por sus propios derroteros, a pesar de que es muy sencillo comprobar documentalmente que aquello no fue así. Sin embargo, me he permitido leerte todo esto para conocer tu respuesta.*

- Lo que llamamos ahora Cursillos dc Cristiandad, tuvo su origen en una inquietud que nos produjo un discurso que el Papa Pío XII hizo a los párrocos y cuaresmeros de Roma el O de febrero de 1940.

Como ya te he dicho, nosotros no pertenecíamos a la A.C. y tampoco teníamos ganas de estar en ella porque la encontrábamos desfasada y alejada del mundo. El pensar, rezar y dialogar nos llevó a hacer un estudio detallado y preciso del ambiente, analizando grupos de personas y personas en particular, al que le dimos el nombre de *«Estudio del Ambiente».* Al mismo tiempo hicimos otro que lo titulamos *«Los de casa»,* donde quedaba patente la insuficiencia de aquella levadura si se pretendía que actuara sobre la masa.

Nosotros no sabíamos la manera de conseguir que nuestras ideas se propagaran.

Así las cosas, los de Madrid vinieron a dar el segundo Cursillo de Adelantados de Peregrinos para hablarnos de Santiago. Fui invitado por el presidente de los jóvenes precisamente porque él conocía todo el material que habíamos elaborado y, al año siguiente, cuando vinieron a dar el tercero, fui llamado para formar parte del equipo dirigente y di un rollo al que naturalmente titulé «Estudio del Ambiente».

El espíritu y el talante de aquellos jóvenes nos llamó la atención. También nos gustó la manera de comunicar sus ideas, en plan de retiro, en un lugar aislado, haciendo grupos y amenizándolo todo con cantos y chistes. Lo que nos pareció excesivo es que duraran una semana. Entendímos que para revitalizar la A.C. debíamos meternos en ella, servirnos de su misma nomenclatura y acompa-sarnos a su ritmo, pero al mismo tiempo vimos también que era necesario tomar ciertas distancias para poder tener una perspectiva lo más clara posible de lo que queríamos conseguir.

Entonces yo hacía mi servicio militar, y no precisamente en servicios auxiliares, sino de manera normal y corriente y por espacio de nueve años. Fue, también, cuando tuve ocasión de comprobar que mis compañeros de cuartel profesaban una moral que dejaba bastante que desear. Al observarles yo siempre pensaba: ¿será que les pesa la ley, o que ignoran la doctrina? Saqué en conclusión que no tenían ni idea de lo que era y lo que es lo cristiano.

Ello, como te comenté, me impulsó a leer y estudiar todo lo que pude de los autores que en aquel entonces estaban en la cresta de la ola de lo cristiano: Romano Guardini, Hugo Rahner, Carl Rahner, los cardenales Mercier, Suenens, Cerejeira, Jacques Leclereq, Tristan Amoroso Lima... Y de todo ello hicimos un cuerpo de doctrina, sintetizándolo en tres días. Eramos sólamente seglares y nos lanzamos a dar el primer Cursillo en Cala Figuera de Santanyí, Mallorca, en el mes de agosto de 1944. Aunque en la misma clausura dijimos que no nos pararíamos hasta dar un Cursillo en la Luna. No se nos ocurrió enumerar los Cursillos hasta que fueron oficializados por el interés que en ellos tomó el doctor Hervás.

La verdad es que el grupo iniciador, compuesto sólo por seglares, una vez concebido, estructurado, y puesto en marcha el Movimiento tal y como ha venido funcionando desde entonces en Mallorca, recibió (con el nombramiento del doctor Hervás, obispo auxiliar de Mallorca, con derecho a sucesión en 1946, y después ya siendo obispo residencial, en 1947) un apoyo, un impulso y un vigor casi inaudito. El grupo de seglares, cuando se sintió escuchado y respaldado por el señor obispo, vivió con él jornadas históricas de efervescente y profundo fervor. Y el movimiento, gracias a su entusiasta colaboración e impulso, pudo tomar resonancias de Iglesia. Fue entonces, y sólo entonces, cuando algunos sacerdotes y dos o tres religiosos, se unieron al grupo inicial de seglares, por petición hecha por ellos al señor obispo.

- *¿Quiénes fueron esos sacerdotes?*

- El padre Gabriel Seguí y Bartolomé Nicolau. Es una pena que no hayas conocido al padre Seguí, era bueno, tremendamente audaz, enormemente cristiano y profundo; había sido cocinero antes que fraile, porque se sabía todos los recovecos del Vaticano sin perder la fe, al revés.

Años más tarde estuvo con nosotros el reverendo Juan Capó y el padre Suárez Yúfera, que desde entonces es nuestro soporte teológico.

-*Aquellos Cursillos de principios de los años 40 ¿se parecían a los de Adelantados de Peregrinos que mencionaba el padre Cesáreo?*

-A pesar de que tomamos el nombre de algunos Rollos y algunas cosas de su método, nunca se parecieron en nada a los Cursillos de Adelantados de Peregrinos, pues tenían una finalidad completamente distinta en su intención. Prueba de ello es que don Manuel Aparici, que tuvo noticia de ellos en ocasión de venirse a Mallorca, quiso tomar parte en uno, para conocerlos y vivirlos, y a petición suya organizamos uno en Toledo, con dirigentes mallorquines y con algunos miembros de lo que en aquel entonces se llamaba Consejo Superior de los Jóvenes de A.C.

Para que los hombres de Acción Católica fueran a Cursillos, el doctor Hervás tuvo que emplear toda su autoridad, y aún así, sobre todo los más allegados, no le obedecieron. Más tarde, no los iniciadores, sino los otros que nada habían iniciado, como ha sucedido siempre en el movimiento de Cursillos, decretaron que los Cursillos eran para hombres. Nosotros protestamos pero no fuimos escuchados, por cuya razón en general el movimiento de Cursillos está en muchos lugares en manos de gente de la tercera edad, y hasta en algún Secretariado, de cuyo nombre no quiero acordarme, dispusieron que para tomar parte en un Cursillo había que tener por lo menos cuarenta años.

No hay duda de ninguna clase, los Cursillos empezaron en agosto de 1944 y se oficializaron y enumeraron a partir del celebrado el 7 de enero de 1949.

Entiendo que los que debían callar (y pluralizo porque no hago referencia sólo a una persona) son aquellos a los que nunca les ha interesdo la verdad de los hechos, y dan sólo crédito a lo que quisieran que hubiera sucedido aunque no sea verdad.

De lo escrito por el padre Cesáreo, tan sólo me molesta lo que no se ajusta a lo verdadero. Y en cuanto a lo pasado, ya le hice saber que me sorprendió que no se hiciera ningún caso, y que se negara a repartirlo primero y a publicarlo después, el comunicado que el Secretariado de Mallorca dirigió al IV Encuentro, y que iba firmado (y no lo digo por mí) por personas que merecían ser escuchadas. Con ello me demostró que le interesaba muy poco el pasado, la historia verdadera de nuestro movimiento; y con su última carta, tan profusamente difundida, me ha confirmado lo poco que le interesa el futuro. Pero no por ello debo dejar de reconocer que el padre Cesáreo ha sido un hombre sacrificado y que, gracias a él, la semilla de los Cursillos se ha esparcido; su trabajo para Cursillos en América Latina ha sido irreprochable. Venezuela es el país donde más se ha publicado sobre Cursillos, pero sus publicaciones son desorientadoras porque no van a lo seglar, tienen esto de querer cambiar el carisma fundacional.

- *Una persona me ha aportado un dato sobre algo ocurrido durante una Ultreya en Guadalajara (España), pero sólo me decía que sufriste una discriminación ¿qué ocurrió?*

- No tiene caso traer todas las cosas del pasado y menos cuando el presente sigue hablando de igual manera. Mira, en España nadie me conoce y procuran que mi nombre no suene. Ahora ha salido una publicación para solemnizar el 50 aniversario que celebran ellos, ahí puedes leer un comentario de don Juan Capó que dice que los Cursillos no tienen autor. Tienen interés en que yo no sea nadie, para así poder manipular los fundamentos de Cursillos. Han hecho unas ideas fundamentales y lo que interesa son las ideas fundacionales o, dicho de otra manera, no quieren reconocer el fundamento fundacional. A cambio, proponen unas ideas que no sacian el

me conoce y procuran que mi nombre no suene. Ahora ha salido una publicación para solemnizar el 50 aniversario que celebran ellos, ahí puedes leer un comentario de don Juan Capó que dice que los Cursillos no tienen autor. Tienen interés en que yo no sea nadie, para así poder manipular los fundamentos de Cursillos. Han hecho unas ideas fundamentales y lo que interesa son las ideas fundacionales o, dicho de otra manera, no quieren reconocer el fundamento fundacional. A cambio, proponen unas ideas que no sacian el hambre espiritual de las personas, sino las ansias de poder de algunos.

- *¿Por qué en el libro «El cómo y el porquéu˜»³ das como fecha decisiva en la vida de los cursillos enero de 1949 y no mencionas agosto de 1944?*

- Ten en cuenta que antes teníamos que apoyarnos en la jerarquía, ellos eran el derecho a la vida, sino nos mataban. A mí me

quisieron hacer prometer que los Cursillos no empezaron en 1944 y clue empezaron en 1949, yo no tuve más remedio que decir que en el 49 empezó la numeración, la oficialización de los Cursillos. Esa es la verdad.

- *Pero, ese libro está firmado por ti y por Miguel Fernández.*

-Yo siempre he estado en libertad vigilada, no tuve más remedio que decir lo que querían que dijera. Si en ese momento no lo hubiera aceptado, el movimiento de Cursillos hubiera sido condenado. Si las cosas no se eclesializan no se eternizan en el tiempo.

Antes, nosotros, teníamos que apoyarnos en lo que decía el Papa, para ser escuchados teníamos que apoyar nuestros criterios en los criterios de la jerarquía, pero ellos nunca han perdonado la simple simplicidad del movimiento de Cursillos.

Por ejemplo, este concepto de que «Dios nos ama» ahora todo el

---

3) En Bonnín, Eduardo: El *cómo y el porqué*. National Ultreya Publications. Texas (sin año de publicación) p.25:
Fue en la tarde del 7 de enero de 1949. Veintidós jóvenes subían con los dirigentes al viejo monasterio de San Honorato para asistir a lo que iba a ser el primer Cursillo... Tres días después existían los veintidós primeros cursillistas y el primer Cursillo era ya una realidad.
Así, con la silenciosa sencillez de los grandes comienzos, empezaron los Cursillos. Y esta fecha, que para muchos pudo pasar inadvertida, quedó convertida en una fecha decisiva; más que indicar una meta, constituía un punto de partida.

mundo lo acepta porque el Papa lo ha dicho, pero antes se creían que eso era cosa de cursillistas. A mí los beatos me peguntan: «Y el Papa que dice de los Cursillos», creo que el Papa tiene otras muchas preocupaciones.

*- Tengo entendido que eres admirador de Juan XXIII.*

-Yo y muchos. Es difícil encontrar personas tan humanas, que transparenten de tal manera a Jesucristo. Todo él era optimismo y alegría, era poder de convencer, pero a su manera, con cierta ironía. Nunca tuvo que demostrar su autoridad porque convencía con algo más que está muy por encima de la autoridad, que es la santidad (pero la santidad de verdad, no la que a veces se reconoce sino la que en verdad se tiene). Juan XXIII fue la confluencia de una santidad con una inteligencia muy superior.

*-.José Jiménez Lozano, uno de sus biógrafos, sugiere que en algunas ocasiones el buen Roncalli tuvo que situarse en la estraté-gica necesidad de hacer el tonto...*

- Introducir cambios tan fuertes en la Iglesia, lo hizo investirse de paciencia.

*-Algo sabrás tú de eso.*

-A mí me gusta más que me tomen por tonto que pasarme de listo. Si me fastidian, paciencia, pero prefiero que me fastidien que fastidiar yo... me quedo más tranquilo.

*- ¿Has tenido que ser muy conciliador con la Iglesia?*

- Siempre he respetado a los superiores y siempre he creído que con la formación que tiene la gente que está al frente de todo esto (un poco alejada de ciertas realidades), tienen que tener nece-sariamente esos criterios, y yo lo comprendo perfectamente: cada uno se alimenta de lo que come, es una cuestión muy clara.

*- Y ante la incomprensión que ha sufrido el movimiento de Cursillos por parte de algunos ministros del Señor ¿nunca has teni-do la tentación de que los Cursillos transcurrieran por un camino aparte, alejados de la Iglesia?*

- No se me ocurriría nunca. No es la Iglesia, son ciertas personas que no acaban de comprender. Hay cierta comodidad de la gente porque la verdad dicen que compromete, yo siempre he creído que libera.

Para intentar que las ideas avancen hacia una realidad, no hay más remedio que intentar una desobediencia controlada, acompasada al ritmo de la acción católica, para así poderla revolucionar desde adentro, cambiarla sin fracturas. Esto es difícil para quien no comprenda que se puede hacer algo sin la anuencia de algún sacerdote, pero es una condición para la evolución: fue de la inconformidad y de la insatisfacción de donde nacieron los Cursillos de Cristiandad.

Dicen que los curas y los seglares son como la sangre de las cuñadas, que nunca se mezclan; pero esto no es así si existe una visión cristiana del asunto. Hombres como el padre Suárez en Mallorca y muchos otros en el mundo, por suerte han demostrado lo contrario.

Yo lo que quiero, y siempre he querido, es romper los menos platos posibles, ni uno más de los necesarios. Cuando desde países como Italia se ha pedido mi opinión sobre los estatutos de una asociación que se está preparando para el reconocimiento de los Cursillos por parte de la Conferencia Episcopal Italiana, yo lo que he pedido es que se haga saber a la jerarquía que estamos ante una figura nueva y que ellos tienen que resolver cuál es su papel o su lugar dentro de la Iglesia. Nuestra postura es más sencilla de lo que parece: si tú tienes una estantería de libros y un libro no entra en ella ¿qué tienes que hacer? ¿una nueva estantería? ¿una ampliación de la que ya tienes hecha?... la decisión es de ellos, ellos son la librería, ellos tienen que creer en el hombre, en que la persona es capaz de autodirigirse y en que no necesitamos la dirección asistida... que son ellos; y que, en todo caso, lo que el hombre necesita es que se le dé, en el momento preciso, una dirección en el terreno del espíritu. Entonces no es de extrañar que alguien se queje si, además de guardaespaldas, necesitamos guardacerebros.

Hay excesos de paternalismo tan acentuados que no dejan medrar al individuo. Ahora ha salido un libro que se titula «*Cómo hablar para que sus hijos le escuchen y cómo escuchar para que los hijos le hablen*», yo lo declararía de interés internacional. Está escrito por dos psicólogas norteamericanas y es fenomenal, deberían leerlo todos los padres del mundo. Me gustaría que algunos padres, y me refiero a los de la jerarquía, también lo leyeran.

*- oUn cierto pesimismo sigue repitiendo que nuestro mundo se hunde en el ateísmo, pero ¿no sería mejor decir que sufre a causa de un teísmo insatisfactorio?» Este es un pensamiento de Pierre*

*hijos le hablen»,* yo lo declararía de interés internacional. Está escrito por dos psicólogas norteamericanas y es fenomenal, deberían leerlo todos los padres del mundo. Me gustaría que algunos padres, y me refiero a los de la jerarquía, también lo leyeran.

*- oUn cierto pesimismo sigue repitiendo que nuestro mundo se hunde en el ateísmo, pero ¿no sería mejor decir que sufre a causa de un teísmo insatisfactorio ?» Este es un pensamiento de Pierre Teilhard de Chardin que posiblemente refleje lo que tú has podido sentir en algún momento de tu vida.*

- A mí siempre me ha gustado partir de la realidad y por eso leí a Teilhard de Chardin, un hombre que encontró una solución filosófica a muchos acontecimientos sin necesidad de echar balones fuera, y eso es jugar. En su cosmogonía explica los ritmos del universo y tiene algunas ideas que son una maravilla, porque habla de la atmósfera, del mundo alejándose de lo material y acercándose a los espiritual, que es una realidad.

*- En septiembre de 1997 tuvo lugar el V Encuentro Mundial del Movimiento de Cursillos en Corea, Jesús Valls fue el más joven de los asistentes a pesar de que hubo una fuerte oposición del padre Cesáreo a que asistiera ¿qué ocurrió?*

- Propuse que Jesús Valls asistiera a Corea, porque es una persona que sabe y entiende mucho. El padre Cesáreo reaccionó enviando a todo quisque la copia de una carta que me dirigía a mí (y que a mí me llegó casi veinte días después) en la que, entre otras cosas, me decía que parecía mentira que yo tuviera la cara de meter a un joven de veinte años en todo esto, ya que no podía saber nunca nada de nada.

De hecho yo no había sido invitado a preparar la reunión de Corea, a pesar de haberlo solicitado miembros de esas comisiones previas; fue Mary Dolan, una persona que vino a Mallorca para estudiar en sus fuentes el carisma fundacional, la que me dijo: «Tú ven a Corea conmigo, y si falta dinero lo pediremos a los cursillistas del Canadá». Yo creía que ella tenía atribuciones, pero este sacerdote se las había quitado. Durante unos días no supe si debía ir o no, pues, si no iba, creerían que estaba resentido por lo que me habían hecho, lo único que tenía que hacer era poner un fax al obispado y preguntarles: «Tengo que ir a Corea o no tengo que ir a Corea. Pero para ir a Corea, si me encargáis a mí el Carisma

Fundacional, no quiero condiciones; pues si me decían que yo tenía que regirme por lo que me dijera el cura, yo no podía ir en ese plan» ¿comprendes?, y se lo dije claramente: «No tengo ningún interés en ir a Corea si no tengo que decir la verdad y tengo que supeditarme a todas las tonterías que me dicen...»

Finalmente fuimos y Jesús tuvo un gran éxito. Me presentaban a mí como su maestro y yo siempre desmentía porque es al revés, él es mi guía, mi señor y mi maestro. Su presencia ahí ratificó que los Cursillos no imponen edad a sus participantes, si en principio todos fueron jóvenes es porque de ellos nacieron.

Mi intervención allí fue la primera, pero después creí conveniente decir unas cosas más que no estaban en programa (porque de aquí a cuatro años quizá yo ya no estoy aquí o ya no puedo hablar), entonces me fui a la cabina de traducción simultánea y entregué este documento[4] que es simplemente una respuesta: Ellos planteaban que se tenía que ir descubriendo el carisma fundacional a la luz de los acontecimientos que pasaban; y yo dije que no, que los acontecimientos que pasaban había que enfocarlos a la luz del carisma fundacional, que es muy distinto.

- *¿Cómo fue recibido este mensaje?*

- Está mal que yo lo diga, pero fue recibido con una ovación; aunque no era para mí, era para una verdad, porque no son distintos los Cursillos, la realidad solamente es una: cuando vino el Dr. Hervás le entregamos todo, con armamento incluido, «esto son los Cursillos». Él dijo: «seguid», nosotros seguimos y en aquel momento es cuando, al menos en España, los Cursillos fueron más Cursillos, porque tenían toda la fuerza de lo seglar. Pero después se metió el padre Cesáreo y Don Juan Capó y se dieron ellos por autores. Dijeron: «los Cursillos no tienen autor, son como las catedrales», pero se pusieron ellos. En su versión, en Cursillos no hay carisma fundacional, todo parte y está en manos de la Organización Mundial de Cursillos de Cristiandad.

- *Te puedes sentir orgulloso, a un hijo tonto no le salen tantos padres.*

- Con Cursillos ha pasado como con la Coca-Cola. Cuando

---

4) Documento leído por E. Bonnín en Corea. (Ver pág. 79)

Estados Unidos no era una potencia y su economía no era la de ahora, recorrieron todo el mundo buscando socios para financiar la producción de esa bebida. Dicen que nadie creyó en el proyecto y que regresaron con los bolsillos vacíos. Actualmente sabemos que una familia que tenga una acción de Coca-Cola tiene el futuro resuelto.

Ocurre algo similar con quienes actualmente quieren hacer declaraciones sobre la utilidad de los Cursillos: Hoy no se trata de creer, simplemente de ver. Ya lo dije esa vez que intentaron censurar la presencia de Jesús Valls en Corea y también lo digo ahora, pues lo creo sinceramente: nuestro movimiento precisa más de personas que sepan creer, pues ya tenemos muchas que creen saber.

**4) Documento leído por E.B.A. en Corea:**

## CLARIFICANDO ENREDOS QUE SE ACLARAN PRECISANDO LA INTENCION GERMINAL.

Los Cursillos de Cristiandad no fueron pensados, estructurados y rezados para evangelizar el mundo, sino el hombre.

El Movimiento de Cursillos de Cristiandad no nació como una respuesta de la Iglesia al mundo, sino como una manera de comunicar al hombre que Dios le ama.

No conocemos ninguna adaptación que haya respondido a la intención de hacer más clara, más precisa, más simple, más eficaz y más inteligible su finalidad.

Para captar lo que el Movimiento de Cursillos persigue y, si no se le distorsiona, por la gracia de Dios va consiguiendo, es preciso partir de las siguientes realidades básicas:

El hombre no cambia, desde la creación el hombre es sustancialmente el mismo: huye de sus miedos y va hacia sus aspiraciones. La conciencia perenne de esta alternativa es lo que le hace sustancialmente hombre: la facultad de poder pasar de individuo a persona, y de sentirse frustrado cuando se opone o se desvía de su trayectoria personal, la que le señala y orienta hacia su concreta y específica plenitud, que es sentirse amado y poder amar.

Los desafíos que el mundo presenta al hombre de hoy, tienen la misma raíz de siempre: la ausencia de Dios en la inteligencia y en el corazón de los hombres.

Por eso la solución es siempre la misma. La solución de Cristo y de su Gracia que es lo único que puede dar sentido a su vivir. El Movimiento de Cursillos cuando no se aparta de su "carisma fundacional", intenta conectar unos cristianos que se esfuerzan por vivir su fe evangélica en espíritu y en verdad, con otros hombres que viven una vida sin el Cristo vivo que la vivifique, y que vueltos hacia fuera por las exigencias de la vida, no tienen tiempo de preocuparse ni de ocuparse de sí mismos ni de los demás.

El Movimiento de Cursillos cuando no se desvirtúa, es un espacio y un instrumento para que los hombres se encuentren consigo mismos, se den cuenta de que existen, y de que existen también los demás, y se acerquen a ellos con ilusión, y mutuamente se comuniquen, se escuchen, dialoguen, se conozcan, se comprendan, se valoren, se respeten, y vayan aprendiendo a amarse; al mismo tiempo que el Cursillo va logrando esto de manera normal y natural, les ofrece también los medios concretos para que el encuentro se vaya transformando en amistad.

Esto es lo que el Movimiento de Cursillos puede ofrecer al hombre de hoy y que por ello descubra que su vida tiene sentido.

El nudo de la cuestión está en que entendamos de una vez por todas, que nos demos cuenta, no los demás, sino nosotros, que por más que el mundo cambie, el hombre siempre es el mismo y siempre será la misma solución.

Lo único que podemos contagiar es la fe que tenemos de que Cristo nos ama. Si no la tenemos, no podemos fermentar nada: ni actitudes, ni ambientes, ni estructuras... en lugar de fermentar, fomentaremos, como casi siempre... y seguiremos criticando indefinidamente a los que llamamos malos, inventariando sus maldades, y lamentándonos de cómo está el mundo.

*e ducha con agua fría, le encantan el «arroz a la cubana» y los patos de artesanía, de los que tiene una modesta colección internacional. Curiosamente su andar es de anátido, pero nada tiene que ver con el ritmo vertiginoso de su vida. Duerme poco y habla mucho, a gran velocidad, siempre haciendo gala de buen humor, de ironía y de malabarismos verbales, aderezados con la alegría de una risa espontánea y chispeante en la que compromete sus ciento sesenta y ocho centímetros (altitud a la que nacieron los Cursillos de Cristiandad). Aunque reacio a hablar de sí mismo, la presente entrevista pretende arrojar un poco de luz sobre el perfil más cotidiano e inmediato de Eduardo, al que le gusta comenzar el día a las seis de la mañana y terminarlo a las doce de la noche. Lee siempre junto a la ventana y ante una mesa para tomar notas y subrayar sus libros. Le apasiona Pemán, Raissa Maritain y Ortega y Gasset, y le hubiera gustado escribir «Señora Nuestra» de José María Cabodevilla.*

- *¿Cuál es el mejor rasgo de tu carácter?*

- No conozco ni uno bueno.

- *¿Algun defecto?*

-Yo siempre he sido muy crítico. Cuando a mí me alaban a una persona, siempre pienso en sus defectos, en cambio, cuando me dicen los defectos, siempre pienso en sus virtudes. Es un rasgo de mi carácter, no lo puedo evitar.

- *¿Lo que más aprecias en el otro?*

- La sinceridad.

- *¿Y tú actividad favorita?*

- La amistad.

- *¿Quiénes han sido tus mejores amigos?*

- Algunos ya murieron, como Eusebio Riera, José Font Bonet y Xisco Forteza. Otros siguen a mi lado, como Jaime Radó, Antonio Gelabert y Jaime Moranta; y jóvenes como Jesús Valls, Ricardo Esteban y Nadal Jr.

- *Hay una recomendación que haces constantemente: «No hay que confundir el precio con el aprecio».*

- Es un conocimiento aplicable a todo y es muy difícil porque

- Algunos ya murieron, como Eusebio Riera, José Font Bonet y Xisco Forteza. Otros siguen a mi lado, como Jaime Radó, Antonio Gelabert y Jaime Moranta; y jóvenes como Jesús Valls, Ricardo Esteban y Nadal Jr.

- *Hay una recomendación que haces constantemente: «No hay que confundir el precio con el aprecio».*

- Es un conocimiento aplicable a todo y es muy difícil porque exige un aprendizaje y una escala de valores. Hoy en día, el precio es un triángulo: qué es, qué me cuesta, para qué me sirve; no hay más. Y el aprecio es algo infinito.

Pero actualmente vivimos en ese pobre triángulo, en los límites de las tres preguntas del precio, en lo material, y no aspiramos a nada más. Y es una pena, porque el aprecio es una ventana que da una dimensión más rica a nuestra vida.

Si leemos *Señora Nuestra* de Cabodevilla, percibimos esa dimensión tan profunda a la que puede abrirnos el aprecio: Es la postura cristiana ante las cosas, verlas amorosamente, tenerlas como un don de Dios.

Cuando me dan de patadas, me refugio en estas lecturas que me reconfortan o me pongo aquella canción que dice: «y tú que te creías, el rey de todo el mundo...»

- *¿Qué es el amor?*

- El perfecto, es el que Dios nos tiene. Lo demás es lo que podemos colegir que practicamos nosotros, humanamente; porque el amor posesivo no es más que una manera de amarse a sí mismo, muy diferente de un amor abierto. Las personas no suelen amarse por las características y las peculiaridades que tienen, sino de otra manera, y el amor nunca puede ser posesión, tiene que ser entrega. Si no es así, cobra fuerza aquel chiste de «siempre unidos hasta que el matrimonio nos separe». No hay que confundir el sacramento con el contrato, lo primero promete, lo segundo compromete.

- *¿Cómo has vivido, en primera persona, el amor?*

- Como todo el mundo. He tenido amor a distintas cosas y, no en un sentido completo, también a determinadas personas que han significado más que otras en mi vida.

- *¿Has estado enamorado?*

- Sí, pero siempre he visto que, cuando las relaciones se concretan, se agrian un poco. No es que haya tenido miedo, siempre cuando me preguntan por qué no me casé, he contestado: «Porque no tuve tiempo». No hay por qué lamentarse de esto, pues en mi vida diaria me siento acompañado, arropado, contento.

Un amigo me decía que cuando a mí me invitan a comer siempre como de lo que más me gusta y no pruebo los otros platos. Mi vida es un poco así, me he podido dedicar a lo que más he sentido. Me llama la atención la inscripción que hay bajo el monumento de Antonio Maura en la que dice: «Igualó su vida con su pensamiento»; yo creo que nadie ha llegado a eso. Gracias a Dios siempre hay un espacio entre el deseo y la realización, si no nos moriríamos de asco.

- *¿Qué piensas del matrimonio?*

- Creo que, a pesar de una serie de vicisitudes que, con buena voluntad, se pueden ir salvando, se trata de un terreno en el que hay demasiados supuestos (que siempre se suponen y se dan por supuestos) que no son verdaderos y que son un socavón en el que la gente queda normalmente desengañada, pues, casi siempre, durante las relaciones, o se ha simulado o se ha disimulado.

Si la gente pudiera conocerse en toda su verdad, admitirse y asimilarse, sería muy distinto, pues creo que al otro no se le quiere realmente hasta que se hayan asimilado sus defectos.

Yo no hablo aquí ni de moralidad ni de decencia, sólo de comprensión, de entenderse, de conocerse, pero no en el sentido que la Biblia da a la palabra conocer, sino a tener conocimiento de la persona con quien se piensa hacer una vida común.

A pesar de todo, soy partidario de que el mundo va avanzando para bien: Antes el matrimonio lo disponían los padres o las familias, lo cual ponía al orden del día las infidelidades y las dobles vidas, en las que por un carril iba cl amor y por otro los compromisos establecidos. Creo que en esto hemos dado un paso importante, se ha unificado más el destino con cl deseo de las personas, pero todavía no hemos llegado a donde pueda llegar el ser humano cuando no se quiera mandar sobre él. Nietzche dijo que «cuando una persona sabe el qué, siempre encuentra el cómo» y «donde no puedo amar siempre, paso de largo», creo que son dos grandes verdades.

- *¿Y el amor sin matrimonio?*

- No tengo la experiencia directa, pero de acuerdo a la experiencia indirecta me parece que es un tinglado que lo compararía con el de una persona que, para ir a un lugar lejano, en vez de emplear la autopista o la carretera, pidiera auxilio para que una grúa levantara su coche ante cada pared que encontrara. Si uno no se quiere conectar con lo trascendente porque duda que el amor sea eterno, está haciendo que su relación de pareja parta de una duda y la duda siempre ofende.

- *Mientras que hay sacerdotes obligados a renunciar a su ministerio para poder casarse, tú te mantienes como un seglar soltero ¿Por qué no te hiciste cura?*

- Porque el sacerdocio está condicionado por muchas cosas y yo siempre me he sentido un hombre libre, con las mayores posibilidades de poder opinar (aunque no me han dejado opinar casi nunca) y de poder decir lo que he pensado en cada momento. Por ejemplo, y sin afán de presumir, muchas cosas que aclaró el Vaticano II, yo ya las había dicho muchas veces; ahora las han vuelto a enredar, pero no dudo que luego vendrá alguien a desenredarlas. La verdad no necesita flotadores, se impone por sí misma.

- *¿Estuviste una vez apunto de casarte?*

- Estuve a punto de tener novia, pero de casarme no. Fue una relación platónica, tendría veinticinco o veintiseis años, pero descubrí que ése no era mi camino.

- *¿Cómo asumiste ese hecho?*

- Con alegría. Yo lo que pienso es que soy libre, no que soy soltero, porque de momento lo soy. Es una opción en la que cada día veo que he acertado, para mi manera de ser; ahora, yo no la puedo recetar a los demás.

Hay quien me ha dicho: «Tú quieres que todo el mundo sea como tú» y no es verdad. Francisco Forteza, que era muy profundo y muy agudo, me decía: «Nos enseña y nos aconseja la normalidad la persona más anormal que he conocido» pues yo soy una persona que no se parece a nadie, hago lo que me da la gana y disfruto de vivir, pero hay quien no sería dichoso con lo que me pasa a mí.

- *¿Nunca has añorado la experiencia de la paternidad?*

- Según a lo que llames paternidad. Yo creo que tengo tantos hijos que, a veces, siento que me sobran la mitad. Hay personas que hace muchos años que han ido a Cursillos, tienen algún problema y vienen aquí; no lo digo como queja, a mí me emociona, entre otras cosas porque sé que hay relaciones de padres a hijos que no consiguen tanta sinceridad. La paternidad yo no la echo de menos, creo que la tengo multiplicada por mil, sin presumir. Voy a cualquier parte del mundo y me encuentro quien me dice: «Mira, esperaba que vinieras porque tengo este problema». Si yo cuando salgo de viaje digo que estoy buscando a uno que sea más tonto que yo, lo que pasa es que no lo he encontrado nunca, por eso vuelvo a viajar.

- *¿Y no has deseado tener una compañía a tu lado, en el viaje de la vida?*

- Yo tengo compañeras y compañeros, nunca me he sentido solo y mucho menos ahora: con esto de Internet no paro de recibir mensajes día y noche. A veces no tengo tiempo de contestarlos todos, pero creeme que me gustaría.

- *Tampoco tienes tiempo para ir al cine, pero seguramente tienes alguna película preferida.*

- *Milagro en Milán* creo que es una de las mejores películas que se han hecho, por el mensaje que tiene. No me gusta el título, porque hace pensar que se trata de algo beato, pero tiene una gran profundidad. Leí que Vittorio de Sica tuvo que hacer varias películas para poder resarcirse de lo que perdió con esta película, porque la gente no lo comprendió, pero a mí me encantó. También disfruté mucho con *Playtime y Mi tío*.

Sin embargo, el teatro me entusiasma más que el cine, pues me parece más real y a mí me gusta la realidad. Nunca olvidaré el estreno de El *proceso a Jesús* de Fabre, estaba en Madrid y pude asistir. Terminó la obra y el teatro no se vaciaba, la gente no se iba porque estaba discutiendo, fue una experiencia muy viva.

- *Para ti la paz no es un periodo de tiempo, es una forma de vida.*

- La paz no puede ser un equilibrio de cancillerías, la paz es un don que Dios confía a la gente de buena voluntad. Dios está en lo más hondo de cada uno, y esto no es un hallazgo porque él ya dijo que «el reino de Dios está dentro de nosotros mismos», la historia del cristianismo quizá sea la terquedad de haberlo situado en otra parte.

- *En una carta de los años 70 escribías: «qué bueno vivir compenetrados, se pueden lanzar granadas, lanzar ideas, lanzar esperanzas, lanzar alegrías y lanzar realidades».*

- Lo más peligroso sigue siendo lo último. Decir la verdad es la actividad más cara que se puede realizar y exige mucho más que cualquier deporte. Pero, sigo pensando igual.

- *Tienes ochenta y dos años y hace pocos días me comentaste que siempre te duchas con agua fría y, también, que nunca has tenido necesidad de tomar una aspirina ¿qué vitaminas usas?*

- Bueno, qué quieres que te diga, Dios es la única vitamina que conozco. Te comenté que lo de ducharse con agua fría lo hacía mi abuelo y yo lo he hecho siempre: En Canadá casi me quedo parali zado la primera vez que abrí el grifo, acostumbrado al agua fría, aquello fue una impresión terrible. Yo no sabía que tenían que calentar las tuberías.

Lo de tomar medicamentos no lo he hecho nunca y con mis hermanos río, a veces, porque ellos toman muchos. Pero sí, me he enfermado una vez, en Campeche (México) cogí un buen resfriado y luego en el avión, de regreso, tuve una otitis muy seria.

También, muy joven, tuve la escarlatina. Mi padre me contaba que el médico le dijo que era mejor que me muriera porque si vivía sería medio tonto y, mira, no se equivocó.

- *Entonces ¿alguna dieta mágica te ha mantenido indemne?*

- ¡Qué va! como de todo. Tengo mis preferencias: los arroces, especialmente el arroz a la cubana; y también mis manías. Papá me dijo que antes de aprender a decir papá y mamá, ya había dicho: «No me gustan los guisantes». Los caracoles, la leche, el chile y los guisantes no me pasan.

Cuando iba a Madrid comía en alguno de los muchos restaurantes que hay alrededor de la Telefónica, siempre lo escogía mirando que el menú tuviera «arroz a la cubana», lo pedía de primer y segundo plato. A veces regresaba por la noche y el camarero me preguntaba: «No querrá otra vez arroz a la cubana» y le decía que sí, a eso iba.

- *Tampoco has tenido accidentes...*

- Eso no es así: hace veinticinco años a un avión Bristol en el que veníamos de Barcelona, se le rompió el tren de aterrizaje, entonces aterrizó con la panza y derramó el combustible. Realmente, ese día, creí haber nacido otra vez.

Al poco tiempo de ese accidente, ocurrió otro en Palma: aterrizó un avión en el Seminario. Lo primero que hicieron para sacar el avión fue quitarle las alas, entonces la gente socarronamente le sacó punta a aquel suceso y decía que cuando uno entraba en el seminario lo primero que hacían era quitarte las alas.

También, el otro día, resbalé en las escaleras de la Plaza Mayor; me rompí los lentes y doblé el paraguas. Era viernes, y estuve la mar de contento por haberme caído. En aquel momento toda la gente buena debía pasar por ahí y nunca había imaginado que fuera tanta ni tan buena, todo el mundo se ofrecía para acompañarme, se preocupaban por si me había roto algo. Estando en el suelo tuve la alegría de reafirmarme en algo que he dicho siempre: la humanidad no es tan mala, no solamente hay crímenes y cosas raras. Yo creo en Dios y creo en el hombre, la gente es mucho mejor de lo que pensamos y tiene unos recursos fenomenales. No es que quiera negar que pueda existir gente mala, es que no me he encontrado con ninguna y mucho menos en la cárcel.

*- Sin embargo, intentaron asaltante en la Vía Sindicato...*

- No vale la pena hablar de esto. Yo fui el primer sorprendido porque no me di cuenta. Yo había quedado con Jaime Moranta, porque teníamos que hablar, y nos citamos en la misa de siete y cuarto en Santa Eulalia. Me di cuenta de que era sábado porque a esas horas de la mañana la calle estaba desierta, sólo había cinco individuos dando patadas a todas las tiendas que tenían puertas de hierro, hacían un ruido espantoso. Cuatro se marcharon y quedó uno solo, se plantó delante de mí y me dijo: «la pasta». Yo le hice un capeo y eché a correr, aquello era como estas películas de dibujos animados. Cuando llegamos a la altura del Banco Hispanoamericano, por suerte para mí, él ya no podía más.

*- ¿Recuerdas cuándo ocurrió esto?*

- Fue hace poco, tenía setenta y nueve años, pero, por suerte, también tuve la intuición de echar a correr; nunca pensé que reaccionaría así.

*- En alguna época de tu vida ¿has fumado?*

- Sí, durante un tiempo fumé en pipa; pero lo hice más porque mi abuelo fumaba y me regaló dos pipas.

También a veces, cuando hubo alguna discusión sobre Cursillos y me puse nervioso, fumé, pero poca cosa.

- *¿Viviste alguna vez en Madrid?*

- No, mi padre era miembro de la Dirección del Consejo Nacional de Exportación, una organización gremial; teníamos reuniones dos o tres veces al mes en Madrid y yo aprovechaba para ver cursillistas.

Me hospedaba en el Hotel Peninsular, te pagaban las dietas. Yo me hubiera pagado cualquier hotel para poderme comprar más libros, pero no podía hacerlo porque hubiera sido un descrédito a lo que yo representaba, iba en nombre de mi padre.

- *¿En qué momentos te has sentido más cerca de Dios?*

- Cuando tuve que auxiliar a los condenados a muerte y alguna vez que han venido a mí las palabras precisas para ayudar a alguna persona que la he sentido realmente reconfortada. Yo creo que Dios se acerca más en las cosas normales que en las extraordinarias.

En Australia me emocionó bastante ver que podía ir, por puentes, de una parte a otra en la copa de los árboles y, algunas veces, me han emocionado estas reuniones de treinta y cinco mil o cuarenta mil, que ya son algo normal en el mundo cursillista.

Una vez estábamos en África, el obispo residencial nos indicó unas personas que, a su juicio, podían ir a Cursillos, nos prestaron un jeep con un chófer armado porque tenía que cruzar la selva hasta que llegamos a una hacienda. Preguntamos al propietario si nos podía recibir, yo suponía que, como nos mandaba el obispo, él creería que íbamos a pedirle dinero para una obra benéfica, así que nos hizo esperar. Cuando finalmente nos atendió, le propusimos que asistiera a un Cursillo y, en ese momento, el hombre empalideció, se puso tan blanco que nosotros creímos que le iba a dar un ataque al corazón. Entonces, sacó del escritorio una carta que había recibido esa misma mañana, nos explicó que era de su madre y le decía: «Cuando tengas que pedir permiso para venir, dímelo para ver si hay un Cursillo de Cristiandad aquí en España. Tú conocías nuestra casa, éramos buenos pero las cosas no acababan de ir bien, tus hermanos siempre se estaban peleando, pero ahora la casa no parece la misma, todos son amigos y es porque han hecho un Cursillo de Cristiandad, así es que tú no te lo pierdas». Él nos dijo que no podía decirnos que no en conciencia, pero que estaba muy ocupado; finalmente arregló que alguien lo sustituyera para poder ir. La emoción fue el coincidir con esa carta, en medio de la selva uno no se espera cosas así.

- *¿Y qué situaciones o lugares te han extasiado?*

- Desde luego la naturaleza, especialmente en Brasil y en Australia que es tan exuberante; y también en unas cataratas que hay en Angola, no muy lejos de Luanda.

- *¿Te has planteado cómo te gustaría morir?*

- En cierta ocasión dije que en mi epitafio me gustaría que pusieran: «Intentó ser cristiano» y así me gustaría morir, intentándolo. Yo siempre lo he dicho: Soy un aprendiz de cristiano.

# LA GENTE TIENE MIEDO A LO VERDADERO
## Y A LA REALIDAD

*R*evisar *los conceptos fundamentales de los Cursillos de Cristiandad es una tentación inevitable, sobre todo después de haber asistido a uno. La curiosidad asalta a lo largo de tres días, y a cada paso del proceso, en el trayecto de quince rollos, se comprueba que nada es azaroso y que el Cursillo es como un jacuzzi para el alma. Esta entrevista fue como obligar a Pitágoras a explicar lo que es un triángulo, pero se estructuró con preguntas aportadas por algunos compañeros de Cursillo, basándose en sus vivencias y su lectura de «Guía del peregrino». Quiero pensar que son dudas compartidas con muchos otros cursillistas del mundo y a las que Eduardo respondió siempre con infinita paciencia.*

- *¿Cómo se encuadra en el entorno eclesial «un movimiento que, mediante un método propio y por la gracia de Dios, va consiguiendo que las verdades esenciales de lo cristiano se hagan vida en la singularidad, en la originalidad y en la creatividad de la persona»? tal y como tú lo has definido.*

- Es imposible, porque es una figura nueva. Cuando yo dije esto en Venezuela, casi me mataron; asistió el cardenal Pironio y dijo que quería y nos sugería que hiciéramos una conexión con el Organismo Mundial del Apostolado Seglar y, para hacer esta conexión, teníamos que definirnos. Entonces yo insistí diciendo que era una figura nueva, que no estaba comprendida en el código canónico. De Roma contestaron ratificando lo mismo, porque el Cursillo sólo es una experiencia personal.

- *¿Cuál es la diferencia primordial entre la persona que ha ido a Cursillos y aquella que no ha asistido?*

- Esto lo contestó de una manera muy certera un obispo auxiliar de Tarragona. En una clausura de Cursillos, dijo que entre un cursillista y uno que no lo es, hay la misma diferencia que entre uno que está leyendo en el periódico que ha habido un accidente y otro que sabe que el accidentado es su propio padre. Es exactamente igual.

- *Pero, cada cual tiene su momento para asistir a un Cursillo.*

- Indudablemente, en todos juegan las circunstancias y el momento o la oportunidad llega. Toda la gente es igual, cuando matizamos es cuando vemos la cara, que no hay ninguna igual; pero en el interior, todo el mundo huye de sus miedos y va hacia sus aspiraciones. Estas son las *Evidencias Olvidadas,* lo explico en un libro que lleva este título.

- *Para la gente que es permeable, perceptiva ¿se puede decir que hay un antes y un después marcado por esos tres días de asistencia a un Cursillo de Cristiandad?*

- Casi siempre sucede así, si se tiene la antena receptiva, si se está en disposición y se ha ido porque se ha querido ir. Existen miles, por no decir millones, de testimonios de esta clase.

- *Sin embargo, en sus inicios, te costó mucho hacer que la gente (salvo cuatro o cinco personas) llegara a creer en los Cursillos.*

- Normalmente la gente no sabe lo que es creer y ahí está todo. Nosotros en el Cursillo de Cursillos empleamos este ejemplo: Imagínate que tú y yo estamos empleados en una empresa, que tenemos toda la confianza de nuestros jefes y que, además, somos muy amigos.

Un sábado a media tarde, me doy cuenta de que dejé mi cartera en la oficina y, como están en ella mis documentos, para mí es importante recuperarla lo antes posible.

En la empresa hay un guardián, le pido, por favor, que me dé las llaves de la oficina explicándole que me he dejado la cartera. Él me las da y entonces aprovecho que estoy en mi oficina para hacer un trabajo pendiente, así que me paso ahí una hora. Al salir, se lo explico al guardián y le devuelvo la llave.

El lunes, al regresar a la oficina, encuentro un jeep de la policía y un gran revuelo porque han robado. El guardián, que está siendo interrogado, al verme recuerda que yo estuve ahí el sábado, y se lo dice: «Eduardo me dijo que se le había olvidado la cartera, entró y estuvo aquí como una hora...». La policía me lleva detenido.

Tú me defiendes porque estás convencido de que yo no he sido. En cambio, hay otros compañeros que comentan: «Fíjate Eduardo, tanto viaje y tanto cuento y al final era un ladrón; yo he notado que últimamente hacía cosas sospechosas...» Tú rechazas todos estos comentarios, pero resulta que las sospechas de la gente llegan a tal punto que te empiezan a acosar con comentarios como: «Ese reloj tan caro que llevas te lo regaló Eduardo, a ti te ha hecho muchos regalos últimamente».

Todo esto a ti te fastidia, pero la noticia del robo ya ha salido en todos los periódicos, yo sigo en la cárcel y tú empiezas a tener tus dudas y a pensar en el ridículo que harás si al final resulta que es verdad que yo soy el ladrón...

Pasa el tiempo, se descubre al verdadero culpable, la policía me suelta y, como ocurre tantas veces, simplemente me dice «perdone», y ya está.

Vamos a suponer que, durante este tiempo, tú has tenido acceso a una grabación de vídeo en la que aparece el verdadero ladrón y eso te ha dado la certeza de que el culpable no era yo.

En ese caso, no tendría ningún mérito que tú me defendieras, porque tú realmente estarías defendiendo la certeza. El mérito estaría en el hecho de que cuando más fuertes fueran tus dudas sobre si yo había sido culpable, más reafirmaras tu fe en mí.

Si lo piensas bien, éste sería un ejemplo de amistad muy superior a cualquiera: La fe en el otro, produce una gran densidad y profundidad en él vínculo que los une.

Fíjate que lo que nos separa de Dios es una duda muy grande y él nos ha puesto en el trance de que tengamos fe en él, que es lo que más nos une.

Pienso en estos individuos que dicen: «Quiero saber si el Santo Sudario de Milán es verdad» y para ello se remiten a las pruebas del Carbono 14, creer así no tiene ningún mérito. Dios quiere que tengamos fe en él como dijo Jesús a Santo Tomás: «Bienaventurados los que sin ver, creen». Pero nadie quiere ser bienaventurado, todo el mundo para creer quiere ver. San Agustín, entre muchos otros, propone que el camino es creer para ver. Cuando yo empecé los

Cursillos nadie creyó en ellos ni en los tres días ni en que podía ir toda clase de gente ni en que pudiera dar rollos un albañil o un licenciado, simplemente nadie, excepto dos o tres.

Actualmente ya se ha hecho la prueba, se han comprobado los resultados de los Cursillos y ahora la gente cree, pero eso no tiene ningún mérito. De amar se tiene certeza y de ser amado, fe.

*- ¿ Y qué es la fe?*

- La fe es una firma en un papel en blanco y es como el perdón. El perdón es volver a confiar. Porque perdonar es muy fácil, lo difícil está en volver a confiar en la persona a la que se perdona.

Donde falla la fe de los que dicen tener fe, es en ignorar que la fe es creativa, es vital y es imprevisible.

Cuando siembras una semilla, no puedes predecir el curso de las ramas que tendrá el árbol. Tiene vida propia, iniciativa. En cambio, lo que todo el mundo quiere es un molde. Recientemente he leído un folleto sobre cómo tiene que ser la familia cristiana, y yo me pregunto ¿quién lo sabe?, no lo sabe nadie, porque eso es intentar predecir cómo será el árbol, ignorando que, por la gracia, crecerá como le dé la gana, como Dios quiere.

La gente cree en Dios pero en esto ya no cree: la fe, y también la gracia, es creativa.

Dios no es razonable, las madres tampoco son razonables, el amor no es razonable: Es dar un sentido de fe a lo que vemos. Cuestionarlo es como intentar condicionar el vuelo de un ave, pues lo bueno es que vuele libre, así llegará más lejos y será mucho más hermoso.

No se puede ser humano, a no ser que se haga creer que se es humano y los motivos sean otros, sin ser cristiano (que no quiere decir bautizado y ritualmente cristiano, ni tampoco que no pueda ser budista o mahometano, pues toda religión tiene semillas de cristianismo en su comportamiento moral).

La religión es lo que ha hecho el hombre para acercarse a Dios y la fe es creer en lo que Dios ha hecho para acercarse al hombre. Ésta es la diferencia.

La religión es muchas cosas, la fe es sólo una y da sentido a la vida.

La pena es que nos cuesta menos creer en un fantasma, en un Buda de marfil o en el número trece, que creer en aquello que es más creíble, que se manifiesta con la evidencia de la sencillez y que tiene más crédito que el que vende el marfil o el que te engaña con sus dados.

*-La religión es humana ¿y, por lo tanto, imperfecta?*

- Cuando a una persona le pides más de lo que te puede dar, te privas de lo que te puede ofrecer. Dios nos da la proporción proporcionada. Lo desproporcionado requiere explicación y razonamiento. Dios no la necesita, ni el amor cuando es verdadero, y si no es verdadero se pasa del aprecio al precio.

La religión consiste no en ser buenos (eso ya se lo sabe el Diablo) sino en hacer bien.

Yo siempre he dicho que el bien está al alcance de cualquier fortuna.

- *Esa igualdad de fortunas y del fondo de las gentes, son conceptos que están muy presentes en la organización de cada Cursillo. ¿Esto explica la pluralidad y diversidad de sus asistentes?*

- El Cursillo se mueve en la estructura de la persona y esto es lo que no nos perdonan. En la estructura todas las personas son iguales. Luego hay variantes en la disposición: tú pones el deber en donde otra persona pone la diversión, pero la estructura es la misma.

Los protestantes dicen que la persona tiene cuatro departamentos: la religión, el amor, el trabajo y la diversión. Pero el cristiano solamente tiene tres, porque la religión no existe. Cristo vino a abolir la religión, él propuso la fe y ésta es una manera de reaccionar frente al amor, frente al deber y frente a la diversión.

- *Iguales sí, pero diferentes también, sobre todo en la manera de afrontar la infelicidad.*

- Huimos de la realidad cuando muchas veces lo mejor es la realidad. El orgullo es hacerse un poquito menos de lo que Dios quiere que seamos, no un poquito más. Cada uno tiene que hacer su dique particular para defenderse de tres cosas que nos matan a todos y que en todos son las mismas: el orgullo, la ambición y el egoísmo. No hay ninguna persona que padezca alguna de estas tres cosas y que, además, sea feliz. Mira si somos simples. Pero cada vez que estamos peregrinando hacia la realidad, se multiplica la alegría. Si reconoces que es difícil, encomiéndate a Dios, no a la doctrina.

- *El peregrinar del que tú nos hablas no es a Santiago, es más largo y más profundo, pero ¿tiene fin?*

- Haber llegado es lo peor que le puede pasar a uno: «ya tengo toda la inteligencia que se puede tener, ya soy todo lo bueno que se puede ser, que aprendan las demás personas de mí...» Oír decir esto es fatal. He tratado con gente que ha dado muerte a otra persona y está tan tremendamente arrepentida que yo la cambiaría por otro que ha llegado ya y que es un virtuoso de todo.

Lo que ocurre durante el Cursillo es que todo el mundo se ve como es y luego nadie lo cree. Se piensa que eran tres días especiales, pero que la vida es otra cosa. Si tú te crees esto, allí se terminó la luna de miel del Cursillo, pero, en cambio, si defiendes que lo que viviste esos tres días era la verdad, el Cursillo dura todo el tiempo que quieras, no hay limitación posible.

- *¿Y garantía?*

- La garantía corre a cargo de uno mismo. La libertad consiste en el derecho a ser veraz y la verdad es algo que ahí se puede encontrar.

Ahí se dice una misa de verdad, aunque lo sean todas; pero cuando se da la paz y cuando se habla y se nombra el nombre de todos, hay peticiones tan concretas y tan vivas que la gente lo siente y ve que aquello es verdad.

Una persona nos dijo un día: «Yo no sabía que la misa sirviera para esto» y es una realidad. La gente se pregunta: ¿Yo puedo hablar a Dios de esta manera? Nunca podré olvidar a un inglés que se arrodilló junto a mí ante el sagrario y me preguntó: ¿Oye, Dios entiende el inglés? En el Cursillo la gente experimenta la cercanía de Dios.

- *Durante los tres días de Cursillos se imparten quince Rollos ¿siempre son los mismos?*

- Toma en cuenta que pasamos muchos años pensando en esto. Nada se ha improvisado y, a pesar de ello, hoy en día se hacen algunas barbaridades. Por ejemplo, hay un lugar en el que a un Rollo le llaman Fe, ésta es la bobada mayor que te puedas imaginar. Es como pegar fuego al Cursillo, porque la fe es una reacción. Tú ahora puedes tener fe, pero no te la pueden colgar.

El objetivo del Cursillo no es hacer ver a una persona, sino propiciar el descubrimiento, que cada uno se dé cuenta de que en su interior tiene algo mucho más bello que todo lo exterior.

*-Ideal, Gracia habitual, El seglar en la Iglesia, Gracia actual, Piedad, Estudio, Sacramentos (tercer tiempo de la Gracia), Acción, Obstáculos a la Gracia (a la vida de Cristo en nosotros), Dirigentes, Estudio del ambiente, Vida en Gracia, Cristiandad en acción, El cursillistas más allá del Cursillo y Seguro Total, quince Rollos a través de los cuales se va desgranando una manera práctica, tangible, de vivir el Evangelio. Todos son obra tuya ¿los escribiste en el mismo orden en que son impartidos durante el Cursillo?*

- El primero que hice fue el *Estudio del Ambiente*, para saber «cómo estaba el patio» y de este estudio nació todo lo demás. El orden en que se deben dar, obedece a una lógica: Primero se tiene que propiciar un encuentro contigo mismo, luego un encuentro con Cristo y, finalmente, un encuentro con los hermanos. Está todo previsto. No hay que olvidar que el rollo de Ideal lo escribió Juan Mir.

- *Pese a estar previsto, algunas veces se varía el orden de los Rollos dentro del Cursillo.*

- A la gente que no sabe hacia dónde se va, le da igual una cosa u otra. Ahora han descubierto que no conviene dar número a los Cursillos ni hacer decurias ni tampoco cantar... Parece que lo que conviene es matar a los Cursillos y no te extrañe, quien lo propone es gente buena.

Cuando le hice el planteamiento de lo que serían los Cursillos de Cristiandad al padre Seguí, él dijo: «Esto va a traer mucho lío, porque ésta es una formación acelerada, los curas necesitamos muchos años para formarnos, y se pensará que vosotros tenéis más formación que los curas. Va a traer mucho lío» y no se equivocó.

Yo dí un orden apropiado a los Rollos a lo largo dc los ti̅es días, cuidando que por las noches quedara uno que acentuara bastante las cosas. Todo está calculado para que quien va, y va con buena voluntad, dé la vuelta a su personalidad, se dé la vuelta como ocurre con un calcetín, esto que llaman la metanoia.

El Cursillo está lleno de ejemplos sencillos, que fuimos buscando de aquí y de allá, que son muy pedagógicos y que sirven para que la gente vaya entrando. El Cursillo es sentido común codificado, nada más.

*- ¿Nos puedes dar un ejemplo?*

- A la mitad del Cursillo se cuenta la anécdota de unos chicos y unas chicas que un invierno van a esquiar y de excursión al puerto de Navacerrada en la Sierra de Guadarrama, cerca de Madrid. Tocan las sirenas para dar aviso de que se acerca una tormenta y, enseguida, van los grupos a ponerse a salvo en el refugio del paradero. Un chico se da cuenta de que su novia no ha llegado, la espera, y tampoco llega con el último grupo. Como anochecía y la tormenta ya estaba encima, decide ir en su busca. Unos compañeros también se aventuran y lo acompañan con cuerdas y linternas, preparados para lo que pudiera suceder. El camino estaba tan mal, tan peligroso con la tormenta, que en un momento los amigos desisten e intentan convencer al novio de que aquello es muy peligroso, pero el novio insiste en seguir, pese al peligro. Anochece y, a la luz de un rayo, ve un bulto en el fondo de una pista. Salvando muchos peligros, consigue llegar hasta el bulto y, efectivamente, era su novia.

La agarró y, como pudo, la llevó a salvo hasta el refugio. Ahí se encuentra con toda la gente y cuenta su aventura. Ante su narración la gente queda dividida en tres grupos: los que habían llegado mucho antes al refugio, que critican al novio diciendo «cómo se pavonea por lo que ha hecho»; los que eran sus amigos, que comprendían que habían sido cobardes y admiraban su valor; y la chica, que, ante todo aquello, reaccionó diciendo: «Todo esto por mí, todo esto lo ha hecho por mí» y saboreaba el que su novio hubiera hecho eso por ella.

En ese momento les decimos a los cursillistas: «Ahora os estaréis preguntando a qué viene este cuento. Mirad, el Cursillo está ahora a punto de caramelo y vosotros pensaréis ¿a qué viene todo esto?, porque por una parte chistes, por otra, cosas serias, por otra, cuentos... Solamente es que este Cristo vivo, normal y cercano, que nosotros procuramos vivir y contagiar, y que solamente se puede contagiar viviendo, está llamando a vuestra puerta y lo podéis encontrar si vosotros decís, en lo hondo, como decía esta persona. Porque los chistes del comedor y las atenciones que hemos tenido con todos solamente son para que lleguéis a encontraros con vosotros mismos, porque esto es una realidad: Todo esto ha sido, a cada uno, por ti; así que si queréis encontrar la pista, para levantar el vuelo y aprovechar el Cursillo, es cuestión de que comprendáis lo honda y certera que puede ser esta frase para cada uno: «Todo esto por mí».

- *Recuérdanos, también, alguno de los chistes que forman parte del Cursillo.*

- Había un individuo que pasaba la bandeja para las ánimas del purgatorio, algo que todavía se estila en las iglesias de algunos pueblos. Y otro, con afán de tomarle el pelo, le dijo al que pasaba la bandeja:

- Si yo echo mil pesetas en esta bandeja ¿voy a sacar un alma del purgatorio?

El otro le contesta:

- Seguro que si me echas mil pesetas, sale. Entonces las echa. Y cuando ve que el de la bandeja regresa a la sacristía, lo llama y le pregunta:

- ¿Ha salido ya el alma del purgatorio? -Él contesta-.

- Sí.

Entonces coge de la bandeja su billete de mil pesetas, diciéndole:

- Pues será muy tonta si vuelve.

- *¿También está estudiada la proporción entre el número de dirigentes y el de cursillistas que participan?*

- El número ideal son treinta y cinco cursillistas y siete dirigentes seglares, uno por cada cinco cursillistas. El número de sacerdotes puede ser todos los que se quieran. Muchos Cursillos han servido para que los franciscanos se hagan amigos de los jesuitas, quiero decir con esto que los Cursillos también han sido punto de encuentro de distintas órdenes; bien decía Ortega que «los hombres se unifican ante el peligro o ante un programa».

- *La «Guía del peregrino» ¿existe desde el primer Cursillo?*

- No. La primera Guía tenía tres o cuatro hojitas. Hemos ido incorporando elementos hasta que ha llegado a su estructura actual. Don Sebastián Gayá, que era y es un literato de primera, le dio cuerpo a la *Hora Apostólica* y a la *Guía del Peregrino*.

- *Pero, tu espíritu también estás muy presente en el corpus de esta obra.*

99

- En la *Guía del Peregrino* está, por ejemplo, el Ofrecimiento de Obras que se encuentra en toda obra normal; lo que nosotros hicimos fue quitar interjecciones del tipo «oh Jesús, oh Dios...», esto era algo desfasado. Fíjate que cada día sentimos más admiración por el padrenuestro, porque es una oración plena de sencillez, hecha de mano maestra que, salvo excepciones, nunca ha habido necesidad de reformarla.

- *¿Por qué el título «Guía del peregrino»?*

-Nosotros, para encarnarnos en el tiempo, teníamos que encarnarnos en la Iglesia; y en la Iglesia de nuestro tiempo lo que privaba era esa exaltación a los jóvenes para ir a Santiago. Pero la vida es un peregrinaje y esta imagen no ha perdido validez. La pena, insisto, es que algunos crean que ya han llegado.

-*La «Hoja de compromiso» ¿existe también desde el primer Cursillo?*

- Incluso desde antes del Cursillo, al igual que la Reunión de Grupo. El fruto de la Reunión de Grupo son los Cursillos. Ahora, la idea de la *Hoja de Compromiso* es concretar, porque concretar los estímulos es realizarlos.

- *Pero, la «Hoja de Compromiso» ¿no vertebra más al cursillista con lo eclesial que con el mundo?*

- No, hay que buscar las raíces en la espiritualidad. La Iglesia es el conducto a través del cual nos llega la fuerza y la energía que nos dan los sacramentos.

Uno no puede decir que está enemistado con la tienda de comestibles y que no va a comprar ningún comestible más, sabiendo que, sin ellos, no podrá vivir. Cierto es que a veces uno no sabe qué comprar cuando entra en el terreno de lo pío, porque hay la espiritualidad carmelitana, los trinitarios, los mercedarios... Pero en lo vital, que es la fuerza y la energía que viene de los sacramentos, aquí se tiene que conectar uno.

Tenemos necesidad de estar conectados con la energía que nos llega a través de la Iglesia. Ahora, no hay que confundir esto con pasar la vida ahí, como en la tienda de comestibles.

- *Tengo entendido que las peticiones, que son esta energía universal que rodea a los cursillistas durante los tres días de su Cursillo, son algo que viene también desde el origen de Cursillos.*

*Lo que ignoraba es que se les prendiera fuego.*

- Es una idea que viene precisamente de tu país, de México; es una acción que encierra un simbolismo y que se practica con bastante frecuencia.

- *Y el cancionero, tan característico de Cursillos ¿también ha alcanzado una dimensión mundial?*

- *De* colores se canta a ritmo de samba en Brasil, en África lo cantan de otra manera, en China empiezan repitiendo las palabras «de colores, de colores, de colores» dichas rápidamente; en África tiene otros ritmos y los italianos la entonan a su modo... En realidad cada pueblo la ha hecho suya, pero se canta en español en Corea, en China, en Japón... aunque ahora he visto que los canadienses le han puesto una letra en inglés, salvo la última estrofa, que la dicen en español.

*Cielito lindo* se incorporó a las canciones de Cursillos en Puerto Rico y ahora también se canta mucho *Marinero que vas a la vela.* *Amigo* de Roberto Carlos, nos la cantaron recientemente, cuando nos marchábamos de Kansas. Pero para mí, en la actualidad, la canción que mejor cuadra con el humano de hoy, es esta que dice «Qué detalle Señor has tenido conmigo», la letra y la música son fenomenales, me han comentado que fue escrita por un campesino de Nicaragua.

- *En estas latitudes no deja de ser sorprendente ¿por qué «De Colores»?*

- Cuando se habla de fundadores, tenemos que pensar en siete personas que intervinieron de una manera directa. Algunos de los primeros eran José Ferragut, Joan Mir y Jaime Riutort (los tres han fallecido), Andrés Rullán (que fue decano del Colegio de Abogados), Bartolomé Riutort, y Guillermo Estarellas, un hombre que toda su vida se ha dedicado a la pedagogía. A Estarellas le pedimos que trajera al Cursillo canciones que no fueran pías y la que más nos gustó era ésta.

Si recuerdas la canción original dice: «y por eso las chicas bonitas de muchos colores me gustan a mí», pero cuando el obispo y los curas oyeron esto de las chicas bonitas dijeron que había que quitarlo, las chicas siguen gustando igual, pero había que quitarlo, y así las chicas fueron sustituidas por amores y los curas pudieron cantarla. No se cantó en el primer Cursillo, sino en uno que se hizo en Montisión de Porreres.

Pero poco a poco *«De colores»* se convirtió en saludo y la expresión de si se vivía en gracia de Dios o no. Nos encontrábamos en aquel tiempo y preguntábamos: *«¿ Qué, De Colores?»*

También, de una manera espontánea, se ha incorporado *Las Mañanitas*. El obispo auxiliar de Los Ángeles me comentó que este hecho había unido mucho a los chicanos y a los americanos, porque unos y otros, que nunca se habían hermanado, se iban a las cuatro de la mañana a cantarlas.

- *¿Qué papel juega el canto y la canción en los tres días del Cursillo?*

- Además de ser expresión de ánimos y sentimientos, se ha utilizado siempre para desintoxicar y para oxigenar.

- *Volviendo a las áreas profundas del Cursillo, creo que para todos sería importante conocer cómo concebiste la idea de la Reunión de Grupo y de la Ultreya.*

- El ser humano tiene dos polos, el personal y el colectivo; no puede vivir sabiendo que vive sin haber entrado en su yo y sin tener un nosotros. La persona que vive sin nosotros, tarde o temprano puede hacer algo malo. La persona necesita un nosotros para irse corrigiendo, afilando y afinando su personalidad. Al ser humano, en su primera fase, lo moldea la familia, pero si lo moldean más allá de la primera fase lo vuelven tonto. El nosotros familiar no sirve porque el cariño lo ahoga.

Fulton J. Sheen dijo que «el hombre que piensa sólo es eficaz en la medida en que no se separa del hombre que no piensa». Se necesita crear una amistad y comprensión que no sean epidérmicas, tiene que haber un puente para comunicar nuestras ilusiones y nuestras dudas, ese puente facilita el trasiego y en él se hacen persona uno y otro. Este es el polo personal.

El otro es el colectivo: El Cursillo de Cristiandad fue creando un contacto con la gente, el cursillo se fue injertando en la misma vida. Cuando uno ha vivido una experiencia le gusta compartirla con otras personas que también la han vivido, eso retroalimenta. La Ultreya es aquello de que «el que tuvo retuvo» y, también, «volver al lugar del crimen».

La necesidad de contactar siempre crea amistad. Cuando dos personas hablan y dicen la verdad, se teje un hilo muy importante entre ellos y con Dios: la amistad es una alabanza, la amistad crea esto y esto crea amistad.

Una vez fuimos a Valencia a dar un Cursillo de Cursillos y, cuando llegamos al aeropuerto, resultó que se había suspendido el vuelo a Mallorca; todos teníamos que estar el lunes a primera hora en nuestros trabajos; aquello ocasionaba un verdadero lío. Nos dijeron: Si van a Barcelona en taxis, que costaba no sé cuántos miles de pesetas, a lo mejor se puede salvar esto; hicimos una encuesta entre todos para ver si lográbamos ir en taxi a Barcelona y llegar al menos a las ocho a nuestros trabajos. En ese momento todo el mundo empezó a contar chistes, para no acordarse de lo que le pasaba a uno y alegrar a los demás. Poco después los de Valencia nos escribieron diciendo: «Cuando se suspendió el vuelo, vimos que todos nos habíais dicho la verdad, porque con vuestra actitud os portasteis a la altura» y es que una persona se define, no por lo que hace, sino por cómo reacciona ante lo que no puede hacer.

La Ultreya no puede tener la misma intensidad que la Reunión de Grupo pero este baño colectivo hace falta porque si la gente sólo vive la Reunión de Grupo, se crea un círculo con un narcisismo de equipo.

Hay que tener muy presente que la primera asistencia a una Ultreya es vital, porque ahí vas descubriendo mucha más gente que ha tenido una experiencia similar a la tuya. Pero también ocurre que si hay un encuentro negativo, con algún tipo de persona que no interesa personalmente, no se vuelve más a la Ultreya. Me preocupa el que no se indague sobre esto. En Cursillos nunca ha sido el diablo quien ha estorbado, siempre ha sido la buena gente.

La Ultreya es la pieza clave del Movimiento de Cursillos para que todo sea verdad, porque el Movimiento de Cursillos es un proceso de creencia luchando contra un proceso de increencia.

- *¿Y las habías imaginado así? ¿tal corno transcurren ahora?*

- Siempre había pensado que las ultreyas deberían celebrarse no en la iglesia, sino en la Plaza Mayor de cada ciudad o pueblo. Creía, y sigo creyendo, que tendría que ser una costumbre internacional, así, cuando un cursillista llegara a un lugar desconocido, sabría que el jueves a las nueve de la noche, en la Plaza Mayor, hay Ultreya y encontrará cursillistas.

En Cataluña sí llegó a ocurrir, encuentro de cursillistas en la plaza para hacer Reunión de Grupo; y en Mallorca tuvimos nuestra época, el doctor Enciso lo facilitó, porque la persecución une mucho.

*- En una ocasión escribiste: «Lo que importa es que vayamos comprendiendo que nuestra amistad con Cristo, ha de transparentarse con nuestra actitud amistosa hacia los demás, ya que no dudamos que es la amistad la que puede producir la energía que puede mover a los hombres y a las mujeres, que por ser cristianos están llamados a ser fermento para cambiar la realidad; cosa sin duda posible, si cada uno resuelve empezar por sí mismo». ¿La amistad es el primer fruto de un Cursillo?*

- Lo que se da, son los conceptos claros de lo cristiano, y el vehículo para comunicarlos es la amistad. El Evangelio se puede predicar o darse a conocer dc mil maneras, pero nosotros creemos que la mejor es fomentando la amistad entre las personas. Pero no debemos confundir la amistad con comprar la cercanía.

La cercanía puede existir con una serie de verdades que la crean. Pero para ser escuchados y para decir que somos hijos del mismo Padre y que creemos en el Evangelio, necesitamos amistad. Todo lo que se da en Cursillos es fruto de la amistad. El polo personal del cursillista evoluciona en la Reunión de Grupo, en la que se hace un Cauce de amistad a la conversión, ya que si la amistad es sincera la conversión transcurre y se reafirma semanalmente, a lo largo de la vida, en esta reunión de amigos. La Reunión de Grupo que yo hago tiene ya cincuenta y cuatro años.

*- Si no existieran la Reunión de Grupo y la Ultreya ¿el Cursillo quedaría reducido al recuerdo de un buen fin de semana?*

- Natural. Esta es la genialidad del movimiento. Está articulado para que estrujes y saques todo el zumo que precisa el presente, de acuerdo con tu pasado y con tu programa de futuro.

La gente reafirma la Reunión de Grupo en la Ultreya, que es donde se desarrolla el polo de lo social. En Palma todos los lunes nos reunimos en un local destartalado de la calle Seminario, en invierno se hiela uno, pero acuden entre ciento cincuenta y cuatrocientas personas, es un encuentro de todos con todos y lo ideal es que la gente contacte con los que no conoce, no con los que conoce.

Ahí coinciden licenciadas y amas de casa, empresarias y auxiliares administrativas, abogados y campesinos, obreros y arquitectos, gente que viene de muchos lugares, pero en el ambiente de Cursillos nada de esto importa porque ante todo eres persona. Siempre el hombre vale más que las cosas del hombre.

- *La lectura de la lista de libros y autores que se entrega al finalizar el Cursillo ¿es otra de las piezas clave del post-cursillo?*

- Es aquello de apuntalar las ideas. Todo el mundo nos pide estos libros, algunos de los cuales ya no están en el mercado, pero no hay duda de que todos son actuales, no en todas sus páginas pero sí en su intención. En su esencia ninguno de ellos está pasado de moda. Es como los textos de Santa Teresa o San Juan de la Cruz, que nunca pasarán de moda; son como un ciclón que se mueve, pero en el eje hay la calma de aquello inamovible.

Alguien me dijo un día que los cursillistas lo que necesitan es formación, como diciendo, mándamelos a mí que yo los formaré. Formar es atar a uno, lo due necesitan es tener gente atada, no que tenga libertad. Un maestro si es un buen maestro a lo que tiene que aspirar es a que el alumno no lo necesite. Nosotros damos una lista de libros, que es como dar herramientas teóricas para que cada uno se forme libremente.

- *La visita al sagrario, solo o en compañía ¿debe de vivirse como uno de los momentos clav$^e$ del Cursillo?*

- Si nos quedáramos en cl Cursillo sería desmentir el Cursillo. Hay que ir por la vida con criterio cristiano, que es lo que no entiende la gente. Este tipo de actos son precisamente los que no se tienen que explotar, porque no son la vida, son la gasolinera, y quedarse en la gasolinera es no ver el panorama de la vida.

Esto está bien pero cuando tú aprendes a ver a Dios no tan sólo en el sagrario sino en las personas, incluso. Por ejemplo, es curioso que Dios para comunicarse y, sobre todo, para buscar a los que tienen que comunicar, siempre elige a la gente que pueda hacerlo reconociendo su miseria. Entonces, uno que se siente miserable va á los miserables y les hace un bien. Pero uno que se siente salvado, va a los miserables y no hace más que importunarles e importunar a los demás pidiendo dinero para que los miserables no sean miserables.

Sin duda, yo ahora me sentiría mejor cogiendo un libro, meditando o yéndome a un rincón bonito de una Iglesia donde no me moleste nadie. Yo ahí me sentiré mucho mejor, pero esto no es lo cristiano.

Lo cristiano es siempre una mezcla para que tú vayas buscando el criterio y decidas, es una opción; el Evangelio no es un piloto mecánico, no es optar por la virtud, es ir ejerciendo a cada momento la virtud de optar, pero para esto se necesita estar al volante. Lo que ocurre es que hay gente que se cansa de estar al volante, tiene miedo a la libertad y por eso busca a alguien que asuma sus responsabilidades, porque no está en disposición de mandar ni de dominar el curso de su vida sin dar bandazos a izquierda o dere cha. Ahora, invocando al Espíritu Santo siempre se puede ir por el centro, lo que pasa es que a veces parece que uno pierde, pero con el Señor no se pierde nunca.

- *¿El Cursillo ofrece respuestas a la dicotomía existencial que se nos presenta ante la muerte física y el concepto cristiano de la inmortalidad?*

- ¿La gente qué quiere? ¿estar segura o ser feliz? Si prometemos la seguridad estamos engañando, porque la vida está llena de incertidumbres, la primera: la muerte, que no sabemos en qué esquina nos está esperando. Si quieres la felicidad, piensas que pase lo que pase Dios está al final, en la última playa; que después de esta vida, buena o mala, nos espera algo mucho mejor. Y ante esto sólo hay dos posturas: creerlo y abrirse al asombro del creer o cerrarse a la angustia de no creer o de no querer creer; porque si uno quiere creer, ya cree. Cuando no crees estás en la pista de la nada y sólo terminas con nueve palmos de tierra encima.

Ignoramos que el Padre que nos creó, el Hijo que nos redimió y el Espíritu Santo, que nos está santificando, están completamente de acuerdo. En la manera de ser de cada uno hay un sector redimible, que son los defectos, y un sector santificable, que son las cualidades. Pero eso no se comunica. Y así vivimos entre personas que están o quemadas por lo que han hecho o fascinadas por lo que no han hecho. Y cuando estás fascinado o quemado pueden hacer contigo lo que quieran.

- *Tu balance personal, basado en lo que has tocado personalmente en los cinco continentes en estos últimos años ¿te permite decir que te gustan los Cursillos actuales?*

- La cosa perfecta no existe. En algunos lugares el que da el mejor rollo queda como el mejor y en lugar de conseguir cristianos creyentes muchas veces en Cursillos se consiguen cristianos creídos. Es una pena.

La gran trascendencia de los Rollos está en que, cuando alguien cuenta lo que ha vivido, tiene una fuerza que nada puede imitar, simplemente porque es suyo, porque lo ha vivido y porque en el plano de las vivencias todos somos, si no iguales, al menos semejantes. En Cursillo, cuando una persona está en disposición, cree en lo que dice porque no hay ninguna razón para no creer. Y esto es más importante de lo que parece.

Cuando a mí me preguntan si Cursillos es algo fanático o emocional, yo respondo que si el credo o el padrenuestro son emocionales, y la respuesta es sí, también lo son los Cursillos.

- *Lógicamente hay disidencias en el mundo de Cursillos, gente que no es ultreyable o que no regresa al entorno del movimiento ¿qué piensas ante esto?*

- El Cursillo pone al descubierto muchas personalidades que después se aprovechan, a los convertidos se les carga enseguida todo el pasivo de la Iglesia. Incluso, hay muchos movimientos que han sido iniciados por cursillistas y me parece bien, nosotros no pretendemos monopolizar nada.

La gente está buscando lo que ya tenemos, pero también está buscando crearle responsabilidades a los cursillistas, cuando, lo que hay que ofrecerles, es la posibilidad de gozar en su contacto con Cristo. Al respecto, escribí un documento que se titula «Los que fueron y no están».

- *Entrando nuevamente en la «Guía del peregrino», me gustará saber qué es para ti «interpretar en clave de eternidad», una idea que encontramos en sus primeras páginas.*

- Es una invitación a vivir en clave de verdad muy por encima del tiempo y de cualquier circunstancia. La misión del Cursillo es comunicar la buena nueva: Dios te ama. Si tú crees que Dios te ama, ya sabes lo más difícil, pues esto es lo más incomprensible y lo más complicado de creer. Luego, creer que Dios es creador, que la creación se atribuye al Padre, la redención al Hijo y la santificación al Espíritu Santo, aunque sea verdad, tampoco interesa tanto.

- En cierta forma, los tres días del Cursillo ¿son el primer ensayo de esa clave?

- Una vez en Panamá vino la cocinera de un Cursillo y me dijo: «Tiene que rogar por mí, porque en este Cursillo está el hombre que mató a mi marido». Al final lo perdonó en el Cursillo, y es que De colores no es una simple frase, pero la gente tiene miedo a lo verdadero y a la realidad.

# SOLO DEBEMOS CREER LO QUE NO
# PODEMOS SABER

Q*ue la posibilidad de ser libres es lo que nos hace iguales a los ojos de Dios, o que el Evangelio encierra la propuesta de que cada cual se encuentre consigo mismo, son conceptos que sólo podíamos descubrir a través de las interpretaciones de una persona que ha dedicado su vida a la tarea de divinizar al hombre y de humanizar a Dios. Valía la pena revisar al lado de Eduardo Bonnín la relación persona-Dios y algunos conceptos y categorías de la ética, la moral y la teología, pues al fin y al cabo son la esencia del giro copernicano que propone su pensamiento.*

*-Apelando al significado que en el Nuevo Testamento tiene la palabra kerigma ¿la noticia de que Dios nos ama podemos considerarla como tal y a ti, por tanto, un ser kerigmático?*

- Si es haber recibido una serie de verdades y tener el deber de propiciarlas en los demás, porque se derraman en ti, entonces sí. Si alguna idea que haya tenido sirve para todo el mundo, bendito sea Dios.

*- Háblanos de la verdad.*

- Es difícil en estos tiempos, es claro que la verdad nos hace libres para transitar por donde sea, pero paradójicamente vivimos en un mundo en el que es fundamental contar mentiras, las practicamos tanto y vivimos tanto con ellas que ya no percibimos su presencia. Mira un ejemplo: Cuando te presentan a una persona, has de decir dos cosas cursis: o encantado o tanto gusto; objetivamente ambas son ridículas, pero es la aduana de lo cursi que tienes que pagar para ser bien educado.

Te puedo contar lo que le ocurrió a una pobre chica que fue al

Casino de Montecarlo. Al entrar le preguntó al chico que la acompañaba: «¿Qué número me aconsejas para probar mi suerte?» Él le respondió: «Dicen que si se pone la edad que tiene, esto trae mucha suerte». Entonces la chica apostó por el veintitrés y echaron suerte. Aquello fue una millonada, lo más que se podía ganar para el que había apostado por el veintisiete... y la chica se desmayó. ¿Por qué se desmayaría? Porque su verdadera edad era veintisiete.

También me gusta recordar lo de aquel juez que decía: «Señorita, diga usted la edad que tiene y después prestará juramento». Tenemos muy asumido que la mentira vive entre nosotros.

Pero la verdad es una y no cambia, lo que es verdadero ahora lo es siempre, lo que cambia es la aplicación de la verdad.

Creo que el objetivo a conseguir es que la gente obtenga un criterio de verdad, para buscar siempre la verdad. La verdad es Cristo, pero a través de sus aplicaciones hacemos verdaderas todas las cosas.

Muchos cristianos se han vuelto fundamentalistas y no hay para qué serlo. Es como si Dios necesitara defenderse. Dios no será más Dios porque otros acepten su concepto.

Me asusta, incluso dentro del mundo de los Cursillos, la gente que adquiere una sola verdad, se aferra a ella, hace fundamentalismo y la cultiva como a una perla rara.

- *Como líder de un movimiento ¿estás interesado en reunir adeptos en torno a tu visión de la verdad?*

- A mí me alegra que los adeptos los tenga Cristo, no tenerlos yo. Además, yo no me considero un líder. Eso de subyugar, de mandar, de electrizar o de fanatizar no va conmigo. Yo prefiero más una conversación en la que cada uno dice lo que le parece y entre los dos esclarecemos nuestras ideas y no ser escuchado por multitudes mudas.

- *¿Es posible sintetizar el cristianismo, el budismo, el islamismo, en una religión universal?*

- Se va descubriendo ahora que Cristo es un Cristo histórico pero también es un Cristo cósmico. La consecuencia de no querer para los demás lo que se quiere para uno mismo, tiene que generar igualdad en la bondad. Ahora, las verdades de muchas religiones están llenas de fanatismo y todo lo que no es humano no es cristiano.

Creer que el tiempo que dura el golpe de gong es el tiempo que Dios escucha no hace daño a nadie, me parece muy bien. Pero castigar corporalmente a un pecador, por ejemplo, no es humano; tiene que haber misericordia.

- *Cuando comparamos las religiones orientales con la cultura occidental, Occidente parece más materialista y menos iluminado que Oriente.*

- Hay una diferencia radical entre estos dos mundos, hay un escritor que lo explica muy bien: «Abre los ojos, estamos en Occidente; cierra los ojos, estamos en Oriente», es una idea que me parece genial. Pero independientemente de ello, creo que tanto en Oriente como en Occidente la humanidad cada día es mucho mejor.

-*La «Guía del peregrino» es una herramienta de oración para «aquellos que deseamos abrirnos al Dios amigo que nos llama a la libertad de hijos y a una vida que no acabará jamás». ¿Es necesaria la oración para lograr la paz mental?*

- Lo necesario es salir de uno mismo y tener conexión con alguien o con algo. Hay tres estadios en la relación con Cristo: cuando uno va a un Cursillo o se topa con las verdades del Evangelio (por que no tenemos ni la exclusiva ni el monopolio) resulta que habla de Dios, después habla con Dios y después deja hablar a Dios. Hay mucha gente que se queda en el estadio de en medio: Habla con Dios. Y cuando habla con Dios le hace decir lo que le da la gana: Yo te doy gracias, por que no soy como los demás, o le pide sacar la Lotería o por la salud de la esposa (no todas las peticiones son fastidiosas ni egoístas).

En cambio, el dejar hablar a Dios significa pensar ¿qué haría Cristo en mi lugar'?, que es sencillamente de lo que se trata, porque si una persona en el mundo tiene criterio cristiano, lo que intenta constantemente es contestarse esa pregunta. Pero, como el hilo directo con Cristo a veces es difícil, hay que recurrir a la suerte de tener un amigo cristiano, de poder preguntarnos qué haría en mi lugar este amigo al cual yo aprecio y que me ha convencido a mí.

Esto es lo cristiano, en cambio en la oración encontramos muchas cosas que de tanto emplearlas se gastan. La oración se emplea muchas veces para exhibirse o para inhibirse. Ninguno de estos extremos es bueno, porque la vida hay que afrontarla como es.

*- En numerosas ocasiones has señalado que Cristo vino a salvar al hombre, no al mundo. Es una reflexión importarle para llegar a entender la individualización de la relación con Dios, pero ¿ante Él todos somos iguales?*

*- La introspección y el razonamiento ¿son más eficaces que la oración y la meditación?*

- No, si la cosa no tiene conexión con lo trascendente no sirve para nada.

Dios a veces es muy etéreo y el vínculo debemos hacerlo a través de Cristo, que es camino, es verdad, es vida y quiere decir solución.

*- ¿Cuándo descubriste que el Evangelio es una fuerza libera dora?*

- Creo que no lo descubrí, sino que lo he vivido así desde siempre. Toma en cuenta que, cuando el hombre hace un gol al misterio, puntúa su soledad; en cambio, cuando el misterio hace un gol al hombre, puntúa su libertad. Esto es claro como una radiografía. Y después de la verdad, solamente hay el absurdo.

El absurdo, solamente lo tolera un distraído. Es como este juego que tiene una bolita que, mientras soplas, está lejos, pero cuando dejas de soplar, la bolita cae. Claro, únicamente se puede ser feliz cuando se está distraído, porque sino la bolita cae. Vivimos en este absurdo.

Pero también está la otra manera, la evangélica, en la que lo humano es cristiano y lo cristiano es humano, hay una convergencia de las dos cosas en la que ambas, recíprocamente, se comunican autenticidad.

Pero hay que estar alertas y no perder la visión simultánea de ambas, porque es cosa humana tener amores con una tercera persona siendo casado, pero no es cristiano. Tenemos que buscar que lo cristiano y lo humano converjan, pues sólo entonces es cuando se tiene la libertad, la fuerza liberadora de la que tú hablas.

Ahora, cuando se tiene en cuenta solamente lo cristiano, nos estamos equivocando, pues derivamos a lo religioso y en lo religioso solamente se complican la fe y lo humano.

- Si en este momento tuviéramos delante setenta radiografías de setenta espinas dorsales, seguramente a nosotros nos parecerían todas iguales. Sólo el ojo experto del médico podría detectar las diferencias y hasta las lesiones.

Dios es ese ojo experto y, entre otras cosas, sabe que cada persona quiere tener importancia, aunque, paradójicamente, siempre tiene menos de la que le da Él, que nos da toda. Lo importante en cada caso es saber en dónde está la persona, si es que le entusiasma lo inmediato o quiere salvar lo verdadero. Lo verdadero con Dios exige un itinerario personal que nos conduce hacia lo humano, lo natural y lo normal.

Y lo normal es que todo tiene que experimentarse, por eso en Cursillos se experimenta en vivo y en directo lo que se dice, pues sólo así llega a ser verdad. Y la verdad nos hará libres, que es como tenemos que ser los hijos de Dios. Es esa posibilidad de ser libres la que nos hace iguales ante sus ojos.

- *¿No te parece inquietante que a Cristo se le recuerde más por cómo murió que por cómo vivió?*

- Lo primero fomenta la religión, lo segundo fermenta la fe, y es muy distinto.

Fomentando la religión se consigue dinero y se hacen iglesias de piedra. Fomentando la fe no, porque la fe crece más que el que la enseña.

Si se le enseña el padrenuestro a una persona y a la mañana siguiente no lo sabe, le puedes decir: «parece mentira» o cualquier otro reproche; pero si se le ha enseñado a tener fe y a la mañana siguiente tiene más que sus maestros... eso no gusta.

- *¿La religión es el opio de los pueblos?*

- Nos encontramos en un momento triste en el que el opio de los pueblos realmente es el opio, no hay doble sentido. Respecto a lo que dijo Marx y cuándo lo dijo, posiblemente era así, lo que no es el opio es la fe.

- *Fe, esperanza, caridad ¿qué unifica a la humanidad?*

- Vale la pena distiguir entre lo fundamental cristiano y lo esencial cristiano. A los hombres los unifica la esperanza, no se pueden unificar por la fe, porque desgraciadamente cada uno cree lo que le da la gana.

No olvidemos que la fe está mal presentada, se cree lo que se ve y cada uno ve algo distinto. En cambio, la esperanza es la autopista por la que vamos todos: Uno espera sacar la lotería, otra espera un bebé, otro la salud, otra la suerte... Es cuando nos movemos por la esperanza que nos encontramos con la fe; y si la fe es lo que tiene que ser, nos servirá para razonar la esperanza.

En cierta ocasión lo expliqué en Alemania: Si la noche de Navidad hubieran ido los ángeles a los pastores, a decirles estas palabras que empleamos hoy los cristianos: «Entrega, responsabilidad, compromiso», los pastores habrían mandado a volar a los ángeles, le hubieran hecho un tanto al Señor y no habrían ido a la cueva ni le hubieran llevado ningún regalo ni corderitos ni queso ni membrillo ni nada. Pero los ángeles les dijeron: «Os ha nacido el Salvador» y movidos por la esperanza los pastores fueron.

La caridad es la reina de las virtudes, pero a veces la tomamos por la reina de bastos; quiero decir con esto, que es la que más hemos falsificado. Mira, en un libro me encontré este pensamiento, que es tan antiguo como cierto: «Quien quiera hacer bien a otro, debe hacerlo en las minucias, el bien general es pretensión de pícaros, hipócritas y zalameros, pues el arte y la ciencia sólo pueden existir en minuciosamente organizados detalles».

Hoy en día parece que está claro que lo correcto es aquello de hacer el bien para ser buenos. Pero acudiendo simplemente al Evangelio, podríamos razonar de otra manera. Hay un caso claro, que le estuve contando una vez a un obispo y se moría de risa, pero que es verdad:

A San Juan Bautista lo que le interesaba era el alma de Herodes, porque sabía que, si quería, podía ser una buena persona. Fíjate que si Juan Bautista se hubiera ido a ver a Herodes y le hubiera dicho que no era lícito vivir con la mujer de su hermano, la reacción hubiera sido distinta. Y si, por ejemplo, Juan Bautista hubiera ido a Herodes y le hubiera dicho: «hay una gran cantidad de pobres en esta ciudad, llenos de miseria, hay quien no come; he visto a uno que tenía lepra y a otro que arrastraba sus heridas... ¿Qué le parece, señor Herodes, si organizáramos una tómbola`? Herodías y Salomé despacharían los billetes y con la fama que tienen los venderían todos». Seguramente así habrían solventado tres o cuatro semanas de hambre en Jerusalén y Herodes hoy tendría un monumento, sin embargo no era esto lo que estaba pensando el Señor. Por eso a veces creo que estamos cometiendo unas equivocaciones enormes.

Dios se hizo hombre y envió a su hijo, para el hombre, no para el mundo. Cuando los curas y la gente buena dicen: «Hemos de conquistar la prensa y la radio», eso es imperialismo. No, lo que hemos de conquistar es el hombre, y si el hombre está metido en la radio ya sabrá lo que tiene que hacer, pero con toda libertad.

- *¿Y la esperanza?*

- Si la fe se apoya en una certeza, deja de ser fe. Con la esperanza sucede algo parecido: no se puede apoyar en garantías, no podemos limitarla dentro de nuestros propios límites, no podemos liquidarla con la duda. La esperanza no es lógica, es teológica, por eso hay que esperar contra toda esperanza, aunque uno esté a punto de desesperar.

Cuando el hombre intenta hacer un gol al misterio, puntúa la tristeza y la soledad. En cambio, cuando tú te dejas hacer un gol por el misterio, te sientes libre y te sientes piloto de tu persona, porque sabes la ruta. El diablo te dice que esto es ingenuidad, pero no, esto es sabiduría.

- *¿Hay más ejemplos del Evangelio en los que se demuestra que lo que el señor realmente quería, era que cada uno se encontrara consigo mismo?*

- Ya hemos dicho que de esta táctica de empezar por uno mismo, el Evangelio nos da pruebas claras, certeras e incontrovertibles en muchos episodios que en él se relatan. Desde Juan Bautista el Precursor, hasta el Buen Ladrón en el Calvario, sin olvidar a la samaritana, a Zaqueo y hasta a los apóstoles después de Pentecostés. Todos ellos evidencian que lo que primordialmente pretendía el Señor, era que cada uno se encontrara consigo mismo y que desde sí mismo, por sí mismo y con su gracia, a la luz de su palabra, tomara la decisión personal que quisiera.

El Evangelio tiene que descubrirse, se ignora la densidad que tiene y la potencia que encierra. Incluso hay gente pía que hace tertulias del Evangelio y creo que no es manera de tratarlo. Me parece

**115**

que lo trata bien la Iglesia cuando en la misa se lee de pie y la gente está atenta, y más cuando la explicación está bien preparada. Cada persona tiene que estar en la realidad y en la verdad, usando una metáfora cartesiana la realidad es la horizontalidad y la verdad es la verticalidad, el Evangelio nos sitúa en el punto en el que coinciden las dos.

*- El 20 de noviembre de 1964 escribiste una carta en la que decías: «al leer la* Eclesiam Suam *tuve ganas de salir a la calle a gritar» ¿por qué te entusiasmó tanto esta obra?*

- En aquel tiempo siempre me hacían la broma de que se tendría que haber titulado Eclesiam tuam. Normalmente las personas dicen verdades que no le comprometen y que no hacen referencia a realidades, sino a ideología. La gente gusta de ser abstracta y de no ser concreta, simplemente porque lo concreto siempre compromete. Yves-Marie-Joseph Congar decía en ese libro una serie de verdades importantes y comprometedoras, de hecho tuvo dificultades con Pío XII. Aquellas propuestas suyas, si se hubieran cumplido... hoy no estaríamos donde estamos. Pero esto no suele perdonarse, porque la gente no quiere la verdad de la vida, quiere ideas abstractas de la realidad para vivir la vida sin demasiadas consecuencias.

*- Dos años después, en 1966, fueron recibidos por el Papa Pablo VI con motivo de la I Ultreya Mundial, en Roma. ¿Qué recuerdas de aquel primer encuentro con un sumo pontífice?*

- Sus palabras, no las puedo olvidar: «Cursillos de Cristiandad: es una palabra, acrisolada en la experiencia, acreditada en sus frutos, que hoy recorre con carta de ciudadanía los caminos del mundo. Y es ésta ya universal expresión el resorte mágico que en este día os convoca en Roma. ¿Para qué? Para actuar con ellos en vosotros el sentido peregrinante que da estilo a vuestro método; para saturar vuestro espíritu en el cristianismo primitivo de la Rorna Sacra». Aquello estaba por encima de la alegría.

*- En el uño 1969 recomendabas mucho dos libros: «En carne viva» y «Treinta cartas sin remite».*

- Están bien, son aportaciones interesantes al mundo cursillista, pero no es seglar. Que den en la diana hay pocos, está *En tierra extraña* de Lilí Álvarez. Tú sabes que lo cristiano es la culminación de lo posible y esto tiene mucha miga. Muchos libros nos enseñan a aceptar las contrariedades y a poner cara de tontos.

- *Has mencionado u una mujer por la que, en muchas ocasiones, has manifestado admiración. Cuéntanos tu relación con ella.*

- Maite Agustí, que inició los Cursillos de mujeres en Barcelona, sabía que a mí me gustaba mucho su obra y que tenía interés en conocerla. Fue a saludarla después de una conferencia y le señaló que había en Mallorca un grupo de gente que estaba muy interesada en sus libros. Ella dijo que, precisamente, le gustaría ir a pasar un verano en Mallorca, entonces yo le escribí, enviándole una serie de fotos de chalets en los que podía hospedarse junto con su madre. Eligió uno en San Agustín y pasó aquí, si mal no recuerdo, dos veranos, en los que nos reunimos para hablar y profundizar en conceptos, sobre todo del mundo seglar y de literatura. También venían clérigos a nuestras tertulias, como Miguel Fernández y Miquel Siquier. Es una mujer muy interesante, desde su primer libro, *Plenitud,* me di cuenta de que tenía mucho que aportarnos a los seglares.

- *¿Quiénes son los santos y santas que tú admiras?*

- Descontando a San Pablo, todos tenían sus cosas raras. A mí no me resuelve nada alguien que ayune los viernes, simplemente porque eso no resuelve nada. Me llama la atención la gente que está en la realidad y hay pocos santos que lo estén.

Para ser cristiano hoy, hay que ser fiel al Evangelio, abierto a todas las realidades y atento a las personas.

La vida de los Santos no veo que tenga una dimensión inmediata, salvo su dimensión de entronque con la divinidad, que también es una dimensión humana. Viéndolo así, me han interesado: Santa Teresa, San Juan de la Cruz y Fray Luis de León, que creo que es un gran intérprete del Evangelio. San Juan de la Cruz aunque sea muy espiritual no se aparta dc la realidad, tiene los pies en el suelo aunque tenga en el cielo la ambición, y eso lo hace distinto.

Pero siempre he pensado que Jesucristo refleja más la santidad que ningún otro santo. Y, de hecho, hablamos de la espiritualidad del bautismo, no de la espiritualidad carmelitana, dominicana o vicentina. Dicen que el santo que más se pareció a Cristo fue San Francisco, yo no lo discuto, pero en San Pablo me gusta lo humano, me inclino por las cosas del espíritu cuando tocan tierra, porque es entonces cuando pueden redimir a los que estamos en ella.

- *¿Es por esta razón que San Pablo es el santo de los Cursillos?*

- No. Fue el doctor Benjamín de Arriba y Castro, Cardenal de Tarragona, un hombre muy estricto y conservador, pero que se entusiasmó con los Cursillos, quien, al ver el espíritu de los cursillistas, pensó que se asemejaba mucho al espíritu de San Pablo. Entonces, le solicitó al Papa Pablo VI que les designara, como patrono, a San Pablo, recordándole que este apóstol estuvo en Tarragona. El Papa accedió e hizo un decreto. A mí al principio me pareció que era algo que le restaba universalidad a los Cursillos, pero después me di cuenta de que tenía una razón de ser.

- *¿Qué opinión te merece Ernesto Cardenal?*

- Quería conocerlo en Nicaragua y lo dije al llegar, pero tengo el grave defecto de dejarme llevar en cada país. Allí me dieron muchas vueltas y nunca lo llegué a conocer. Es un gran poeta, pero es un exaltado, aunque en algunos aspectos todavía se queda corto. Tengo toda su obra y me gusta, pero antes de perder su serenidad me gustaba mucho más.

- *¿Te gusta la <<Imitación de Cristo>> de Thomas Kempis?*

- No me gusta, enseña el Cristo de un fraile amargado. Al respecto, tuve una discusión con un cura, en el Colegio Español de Roma, que me preguntó lo mismo que tú y le contesté exactamente lo mismo: Muestra el Cristo de un fraile amargado que no es el del Evangelio.

Discutimos mucho y luego no me dijo nada, pero, cuál sería mi sorpresa al encontrarme un día en la revista *Concilium* un artículo que expresaba muy bien mis ideas sobre el libro…

- *A propósito de los chistes que a veces nos hace la vida, en muchas de tus cartas he encontrado que mencionas* La Codorniz.

- Yo creo que las cosas sólo pueden arreglarse con el Evangelio o con *La Codorniz*, siempre he pensado lo mismo, son los únicos libros verdaderamente serios que conozco; unas veces aplicamos uno, otras, cl otro, y así nos vamos defendiendo.

- *¿Qué es lo que más te gusta del Evangelio?*

- Corroborar que Cristo era una persona profundamente humana, que tenía necesidades y que se cansaba. Porque quienes quieren manipular con su figura, sólo exaltan lo divino.

También, lo que más me gusta, es que nunca pasa de moda. Ahora, algunas de las tonterías que se hacen en su nombre, pasan de moda en un minuto.

- *Háblanos de la moral cristiana.*

- Creo que lo cristiano, sólo con llamarlo cristiano, ya lleva implícita la moral. Dicen que la moral conduce a la bondad y creo que puede ser así, lo que no creo es en la moral impuesta. La moral tiene que ser reflexionada por el individuo, no manipularle a través de ella.

- *Idealmente ¿se tiene que ejercer una moral teocéntrica o antropocéntrica?*

- Creo que lo más antropocéntrico es lo teológico, yo veo una convergencia total. La autoridad es un ejemplo: cuando la autoridad no está al día con el Evangelio, es el desprestigio de la autoridad, no el desprestigio del Evangelio, es así de claro. El que se desprestigia, es el que no sigue el Evangelio, al Evangelio no lo vamos a desprestigiar.

- *¿Cuáles son, a tu juicio, los compromisos más importantes de un* cristiano?

-Yo no creo que el ser cristiano cree compromisos, lo que crea es libertad frente al misterio.

Son otros los que quieren comprometer al cristiano para hacerlo obedecer. Por eso, ahora ya no me planteo el compromiso. A veces lo he tenido, pero por ignorancia, porque no sabía hasta dónde. Actualmente sé que sólo debemos creer lo que no podemos saber.

# YO CONOZCO EL MUNDO POR LA TERRAZA
# DE LOS QUE NO SE CONFIESAN

*B*ernhard Harirzg se preguntaba «cómo se puede anunciar la buena noticia a hombres desterrados, que viven en la miseria, sin convertirse hasta el límite de lo posible en uno de ellos». Bordeando esta idea, en cierta ocasión Eduardo me comentó su convencimiento de que el hombre necesita pasarlo malpara humanizarse. No fueron pocas las conversaciones en las cuales, para ejemplificar una situación o un tema, le pedí a Eduardo que me contara cómo se traducían a la realidad o cómo habían tocado a tierra en su vida aquellas ideas que acababa de exponer. Entonces surgían múltiples anécdotas de su relación con el prójimo, algunas de las cuales (omitiendo siempre los datos o circunstancias que permitieran identificar a esos prójimos) me permito transcribir, ya que, a través de ellas, descubriremos otra faceta de Eduardo, en su relación tan directa, amigable y llena de humor y amor hacia «los otros», unos otros casi siempre salidos de las cárceles o candidatos a entrar en ellas, pero a los que él, en su trato directo, llama «jefe». La elección de Eduardo hacia estos personajes, podemos entenderla a través de tres conceptos y acudiendo a sus propias palabras:*

*Son sus maestros: «yo no me quiero desvincular de los que más me enseñan, que son los de la cárcel y los drogadictos; toda esa gente son mis catedráticos, los que me hacen la tesis doctoral de la vida».*

*Son los comunicadores: «cuando Dios ha tenido que comunicar a los hombres buscó a Moisés, que mató a un egipcio; a Abraharn, err la prueba de matar a su hijo; a San Pablo, que persiguió a los cristianos; a San Pedro, que lo negó; a San Agustín, que llevaba una vida escandalosa; ¿por qué? porque todos estos personajes desde su miseria y desde su nada, entienden el valor que tiene lo que Cristo ha puesto en su vida, pueden ir a los demás y contagiarlo, pueden sentirse redimidos».*

*Son su contacto: «Mi relación con Dios se manifiesta en mis relaciones de sincera y profunda amistad con gente marginada, sobre todo presos, drogadictos y alcohólicos; nunca he llegado a enseñarles nada, pero trato de aprovechar lo que puedo aprender. Muchos de ellos son maestros en la virtud de saber esperar, otros han sabido perdonar ofensas inimaginables, otros esperan contra toda esperanza y muchos, incluso con el corazón sangrando, dan la precedencia a la posibilidad de proporcionar alegría a los demás, tratando de endulzar su vida amarga. Creo que este contacto, que he tratado de realizar con tacto, sin paternalismo, pero con fraterna y amigable cercanía, me ha acercado mucho a Dios, a la oración, a los sacramentos, a la relación viva con Él, en su Iglesia»* [1].

*- Tú huyes de esa generosidad a destiempo hacia los pobres que se practica en nombre del Señor: Para tus detractores tu tendón de Aquiles es no escribir y profesar una doctrina para los pobres. Quienes te conocen bien saben que eso es porque tú distingues que tanto ricos como pobres, son hijos de Dios. Alguien ha llegado a decir que la Iglesia inventó a los pobres y luego los puso de moda, sin embargo, llevas más de cincuenta años hablando con los presos y colaborando gratuitamente en la prisión de Palma ¿no es ésa una forma de trabajar para los pobres?*

- No hay que pensar «éste se va a morir» para quererlo; debemos querer a todos aquí y ahora, porque son personas, no porque son pobres. Hasta ahora, no se habían fijado en los pobres y ahora se fijan ¿por qué? porque están de moda.

*- ¿Recuerdas cómo nació en ti la idea de que la cárcel es tu escuela?*

- Había un hombre muy astuto, que ya había estado en la cárcel varias veces, y una vez vino a proponerme que hablara con el obispo para pedirle que él pudiera almacenar tabaco en unas catacumbas que hay dentro de la catedral, ofreciendo a cambio una comisión para el seminario. Mira qué ideas tenía.

---

1) Cordes, Paul Josef: Signos *de esperanza,* San Pablo, Madrid, 1998, pp. 65 - 66.

Ya te puedes imaginar mi reacción ante semejante inmoralidad. Obviamente no lo hice, pero un tiempo después yo estaba en el patio de la prisión, rodeado de presos y él, con muchas ínfulas y mucha desvergüenza, vino a saludarme. Él seguía siendo el amo de la situación, tenía tal influencia que conseguía que cada día le llevaran la comida de fuera. Entonces me preguntó: «¿tú qué haces aquí?». Y no se me ocurrió otra cosa que contestarle: «Vengo a aprender». En ese momento su cara y su actitud cambiaron, me puso la mano en el hombro y me dijo: «no sabes las cosas que yo he aprendido aquí». Si yo le hubiera dicho alguna beatería tipo «vengo a hacer apostolado», me hubiera metido en un lío, pero el Señor ayuda. Si nos pone en trances de estos, tiene que ayudarnos ¡no faltaba más! Ahora, tengo muy claro, y así se lo explico a algunas gentes cuando intentan agradecer algo, que el mérito no está en quien echa la cuerda para que el otro salga del pozo, sino en el que la agarra y está depositando en ti su confianza.

-*Además del trabajo directo que realizas con los presos ¿has asumido ofrecer otro tipo de ayudas o mediaciones?*

- No, no arreglo nada, te enfrentas a un mundo de insensibilidades donde poco voy a conseguir. Creo que hago más ayudando a una persona, en mi dimensión humana, que no ayudando al mundo, que es menos comprometido.

- *Pero sí has mediado entre algún preso y su mundo familiar..*

- A veces me lo han solicitado para dejar tranquilo al que está adentro o al que está afuera: un preso te pide que vayas a ver a su madre o una madre te pide que vayas a ver a su hijo. Esto se puede hacer con mucha facilidad.

- *¿No te desestabiliza anímicamente el mantener un contacto tan directo con los dramas humanos?*

- Hay que estar muy pertrechados para ir a hablar con gente que no tiene empleo ni dinero ni salud, que le va muy mal. Se trata de irse como el minero que entra en la mina y que, si no va con casco y equipado, a lo mejor sale resquebrajado. También hay que entrar con el espíritu del minero, dispuesto a sacar diamantes donde la gente asegura que no los hay.

Siempre me ha gustado estar en la realidad, no que me la cuenten. Cuando me hablan de la cárcel, yo ya he estado mil veces en

- Los cristianos no estamos llamados a arreglar el mundo, ni Cristo lo intentó. Estamos llamados a ayudar a los amigos que quieran arreglarse, por contagio. Somos la gente corriente y nuestros problemas son los más corrientes.

Cuando viene a casa un preso que está en libertad condicional, lo primero que le pregunto es «qué permiso tienes, a qué hora tienes que volver», y pongo un reloj para que no se nos vaya el tiempo, porque yo no quiero tener la culpa de nada, ya me pasó una vez: recibí una carta de una mujer diciendo que yo había destruido su matrimonio, me supo mal porque ella no sabe lo que yo la defendí. Pero ocurre que el marido muchas veces le decía que venía a verme y no era así.

A mí me ha pasado con algún preso que al salir ha venido a verme y se lo he dicho: «A mí lo que más me gustaría es tener confianza en ti, pero la realidad es que hoy no la tengo, entonces vamos

a reunirnos en otro sitio. Un día yo tendré confianza en ti y supongo que te vas a dar cuenta porque mi actitud habrá cambiado y lo vamos a celebrar». Me parece mucho más honrado este planteamiento que invitarlo a pasar y tomar precauciones. La confianza es como la fe, o se tiene o no se tiene. Cuando arañas la fe nos queda la fe afeada. Todo esto es lo que los toreros llaman una suerte plena, que es descubrirse ante el toro, o sales a hombros o en andas...

- *¿Alguien comprende tu espíritu torero?*

- Creo que no. Un guardia se dio cuenta de que yo tenía un interés muy especial por ir a ver a un preso concreto y me preguntó: «¿Por qué te interesa tanto este hombre?» Le dije: «Pues porque es mi maestro y quiero aprender». Entonces él dijo: «Pues qué extraño, aquí todo el mundo viene a enseñar».

Poder hablar de tú a tú y de corazón a corazón con un drogado... para mí estas son enseñanzas. Es la comunicación desinteresada de persona a persona lo que te hace bucear entre la verdad.

Yo he comprobado que si se vuelca todo en un drogadicto, un asesino o un individuo tuerto de cualquier manera (espiritual o psicológica), porque la verdad es Cristo, se cura. Mira, una vez vino muy contento un chico porque le habían fiado una máquina que vale millones, y me decía: «Fíjate, se fían de mí, de mí que nadie se fiaba». Este hombre está maravillado pero es porque en él se ha

miento que invitarlo a pasar y tomar precauciones. La confianza es como la fe, o se tiene o no se tiene. Cuando arañas la fe nos queda la fe afeada. Todo esto es lo que los toreros llaman una suerte plena, que es descubrirse ante el toro, o sales a hombros o en andas...

- *¿Alguien comprende tu espíritu torero?*

- Creo que no. Un guardia se dio cuenta de que yo tenía un interés muy especial por ir a ver a un preso concreto y me preguntó: «¿Por qué te interesa tanto este hombre?» Le dije: «Pues porque es mi maestro y quiero aprender». Entonces él dijo: «Pues qué extraño, aquí todo el mundo viene a enseñar».

Poder hablar de tú a tú y de corazón a corazón con un drogado... para mí estas son enseñanzas. Es la comunicación desinteresada de persona a persona lo que te hace bucear entre la verdad.

Yo he comprobado que si se vuelca todo en un drogadicto, un asesino o un individuo tuerto de cualquier manera (espiritual o psicológica), porque la verdad es Cristo, se cura. Mira, una vez vino muy contento un chico porque le habían fiado una máquina que vale millones, y me decía: «Fíjate, se fían de mí, de mí que nadie se fiaba». Este hombre está maravillado pero es porque en él se ha volcado todo.

Me contó que en una época en la que él no tenía trabajo y su mujer trabajaba haciendo limpieza, llegó sudoroso a su casa, en un sexto piso, se bebió una Coca-Cola, la derramó accidentalmente por el suelo y se marchó. Cuando estuvo en el piso tercero, pensó: «Yo no estoy trabajando, mi esposa está trabajando todo el día y luego vendrá y le quedará la faena de limpiar todo lo que he hecho». Lo pensó bien, subió de nuevo, limpió todo y puso las cosas en su sitio.

Yo le pregunté: «¿Es verdad que has hecho esto?». Y él me respondió: «Sí, porque yo en mi interior comprendí que tenía que hacerlo».

«Bueno, pues tú tienes un interior y hasta ahora no me habías dicho nada», fue lo único que le dije.

- *Educar en la responsabilidad creativa, es una idea que cultivó el padre Haring.*

- La confianza cura. A mí, que me ha pasado de todo y estoy contento de todo lo que me ha pasado, me ocurrió que un chico que

125

siempre había robado y había hecho cualquier cosa, salió de la cárcel y al cabo de pocos días entró en una Agencia de Viajes y robó diez mil pesetas. Luego vino a contármelo y a decirme que estaba arrepentido, y yo le dije: «Bueno, ya es algo que venga a ti este arrepentimiento, seguro que no lo volverás a hacer». Y estuvo un año y medio sin hacer nada malo, pero luego volvió a las andadas. Pero si él hubiera tenido la confianza de los que le rodeaban, eso no le vuelve a pasar.

Ahora mismo hay en la cárcel un chico acusado de haber presenciado la muerte de dos personas y, si hubiera sido así, tendría que haber dado parte enseguida. Nos hemos hecho amigos y siempre le he dicho: Si eres inocente vas a salir, ya lo verás; y si eres culpable, Dios te va a perdonar. Me ha aliviado saber que él ya está convencido de que esto es verdad. Hace poco me dijo: «Ya no tengo aquella cosa tan abrumadora que tenía encima», se está haciendo responsable de sus actos y está viendo una luz.

- *También encontrarás personas que difícilmente la vean.*

- Uno me dijo: «Me llena de vergüenza que, para que no me drogue, me tenga que cuidar una hija mía de quince años. Esto no me lo perdono». Entonces yo le aconsejé: «Sigue no perdonándotelo pero no te drogues, porque si no te lo perdonas pero te sigues drogando no sirve de nada», creo que hay que situar a la gente en la verdad.

Y en cuanto a que me tomen el pelo, lo prefiero antes que tomarlo yo. Dicen que cuando Santo Tomás estaba estudiando, vino un fraile y le dijo: «Salga rápido y verá un asno que está volando»; Santo Tomás regresó sin haberlo visto y el fraile le preguntó burlón: «¿O te lo has creído?» y el sabio Tomás le respondió: «Yo creo más que un asno vuele a que usted me engañe». Yo lo creo igual, ahora, a algunas personas he tenido la prudencia de decirles: «En caso de que no me engañes, esto me parece bien».

El día que me llama la madre de uno de estos amigos drogadictos para contarme que su hijo le ha regalado un ramo de flores o que ha llegado muy temprano a la hora de la cena, yo me asusto, pienso que ya la ha hecho. Pero claro, por suerte esto tampoco es matemático. La vida enseña bastante.

- *Tengo entendido que son muchos los cursillistas que han*

*encontrado consejo en ti.*

- Después de treinta años de haber ido a Cursillos, un día llegó a casa un hombre desconsolado porque su mujer se había marchado de casa (a fuerza de las injusticias que le hacía el marido). Vino aquí a decirme: «Tú me vas a comprender, se ha marchado y yo quiero que vuelva esta noche». Le dije: «Llama al alcalde para que te envíe la grúa para que vuelva, porque tú lo que quieres no es que vuelva sino que quiera volver».

Se enfadó mucho conmigo, pero me gusta recordar este ejemplo para explicarle a la gente que, a veces, ocurre lo mismo con las captaciones para ir a Cursillos. Si se emplea nn recurso que no es noble, del estilo «si no vas al Cursillo ya no serás mi amigo», no se logra nada porque aquel asiste por compromiso pero con las puertas cerradas. Lo que hay que hacer es despertar el afecto, el interés, para ir a Cursillos o para que vuelva tu mujer.

También, a más de uno he tenido que decirle: «¿Tú sabes lo felices que son en tu casa cuando iú no estás? porque las personas que son excesivamente rectas llegan a ser muy fastidiosas». Nadie tiene claro aquello de «empieza por ti mismo», todos quieren empezar por los demás.

Tanta gente me visita en esta casa que una vez, que llevaba poco tiempo de vivir aquí, vine en un taxi con un taxista que no era cursillista y dijo a un vecino: «Quiere decirme quién vive aquí, porque yo no sabía si aquí era una casa de citas, o un sastre, porque he traído a tantas personas de diferente condición a esta dirección».

*-¿Has tenido dificultades con algún invitado?*

*- ¿Qué es lo que más te ha costado entender?*

- Una vez vino a casa uno a pedirme un pasamontañas (tenía la necesidad urgente de robar). Le dije: «Necesitaremos dos, uno para ti y uno para mí». Ante mi seguridad desistió y prefirió quedarse hablando conmigo.

Ahora hay una persona que me prometió que nunca más se drogaría, en la que tenía mucha fe (y no la he perdido). Salió de la cárcel todo golpeado y magullado, por eso no había trabajado. Pero estos días, mientras yo estaba de viaje, ganó doce mil pesetas, las gastó en droga y se la puso. Vino y me lo contó después. Yo le di las

127

gracias: «no por haberte drogado sino por tener la sinceridad de decirlo». También me contó que se fue al Barrio Chino y que una prostituta le vio tan mal que le dio mil pesetas para que cogiera un taxi y se fuera a su casa. Yo pienso que una persona de Iglesia no es capaz de hacerlo, vivimos tan alto que opositamos a dioses, pero nunca aprobamos. En cambio, desde siempre, la samaritana, sin proponérselo, lo tiene aprobado. Esto de que seamos todos hermanos por el bautismo parece que es una idea que no se concreta, parece que tenemos que serlo por otra cosa, pero con el tiempo se verá de otra manera y, si no, en el cielo lo veremos así.

Se cuenta que para pintar *La última cena,* Leonardo da Vinci fue a una prisión buscando en el peor preso el hombre que le sirviera de modelo para pintar la cara de Judas. Cuando lo estaba pintando los rasgos le parecieron conocidos y, en efecto, resultó ser el mismo hombre que le había servido de modelo para pintar a San Juan. Mira qué lección.

- *Para saber estar con ellos ¿hay que identificarse con ellos?*

- A uno que en la cárcel llevaba un enorme pendiente, le dije: «¿Podrías prestarme esto tan grande para irme a pasear?». Él me respondió: «Cuando tienes el Sida en tu casa no te quiere nadie, ni tus hijos ni tu mujer; lo mínimo que puedo hacer es llevar un pendiente como éste». Le contesté: «Tienes toda la razón, ahora yo con mucho gusto te compraría el otro pendiente».

La manera de entender algo es amarlo ¿y cómo lo vas a amar sin conocerlo? Hay gente que así quiere entender a los drogadictos y a los presos. Yo no digo que yo entienda a todo el mundo, pero a mí me parece que sí, que me entiendo con todo el mundo.

- Hay cosas que son horribles, que las he tocado personalmente, de gentes que son capaces de lo que sea. Tuve cerca de mí a un matrimonio disuelto que había peleado por quién debía tener más tiempo a la hija. El juez dijo que le correspondía más tiempo a la madre, y el padre, entonces, puso la punta de las tijeras en el ojo de la hija, como diciéndole a la mujer: la tendrás más tiempo, pero tuerta. Esto te demuestra que somos capaces de cualquier salvajada. El hombre es capaz de lo mejor y de lo peor, es aquello de que «todos llevamos en los labios, con la posibilidad de darlo algún día, el beso de Judas». Cuanto más santa es la persona, más comprende que en su interior hay un león; porque hay quien vive en la inopia y se cree que es un santo, hasta que el león le sale de alguna manera.

No hay ningún santo que no sepa que es desgraciado, quizá no lo es, pero tiene conciencia de que puede serlo. A mí me gustan estas cosas. Tú piensa en a quiénes eligió Dios para llevar su mensaje.

Lo que a mí no me gusta es cuando se tergiversan las cosas y se crean mitos, como éste tan extendido de que Cristo optó por los pobres, me parece una majadería, cuando lo real es que Cristo optó por los hombres.

Por aquí viene a veces un amigo que es funcionario de Hacienda, es una buena persona, super honrado. Una vez lo asusté porque le dije: «Oye, tú que estás en Hacienda podrás hacerme un favor», él puso una cara muy seria porque creyó que le iba a pedir algo raro. Pero yo seguí: «Me tienes que mirar la declaración de la renta de la Samaritana o de las hermanas de Lázaro, porque no estaban tan pobres como nos lo explican. El Señor iba a su casa y debían hacerle algunos guisaditos y se lo pasaban muy bien, y tampoco el Señor se iba por las calles de Jerusalén con el plato y la cuchara para ver si había algún pobre a quien dárselo».

La verdad no necesita interpretaciones ni defensores, ella se defiende sola, basta explicarla. Cuando uno quiere montar un montaje tiene que apoyarlo en interpretaciones. Si somos hijos de la Iglesia, hay que defender la libertad y la primera es la de creer en la verdad, que está en el Evangelio y en la vida misma. No hay más. Hace pocos días le pregunté a un amigo drogadicto: «¿Cómo es que te venden la droga tan cerca del cuartel de la Guardia Civil?» y él me dijo en plan burlón: «¿No será para controlar la venta?».

Ahora ha salido una ley que dice que alguien que ha estado en la cárcel, nunca podrá ser juez; esto quiere decir que los jueces nunca sabrán la verdad.

Cuando me sitúo ante estos hechos y en el contacto directo que he tenido y tengo con estas personas, me gusta pensar en una obra de los hermanos Quintero[2] en la que el cura dice: «Yo conozco el mundo por la rendija del confesionario». Entonces pienso que yo conozco el mundo por la terraza de los que no se confiesan.

---

2) Joaquín y Serafín Álvarez Quintero, comediógrafos españoles de principios de siglo. Creadores de múltiples sainetes, comedias y juguetes cómicos. Representantes del teatro costumbrista andaluz.

# LOS REMIENDOS DE DIOS SON MEJORES QUE LAS OBRAS NUEVAS

*E*n 1998, con motivo de la celebración del año del Espíritu Santo, Juan Pablo II mantuvo una reunión con los fundadores y líderes de los movimientos eclesiales más importantes del mundo. El objetivo de la cumbre, según las propias palabras del pontífice, era «estimular la nueva evangelización, tan urgente para la Iglesia de hoy». Eduardo Bonnín fue invitado a asistir, con los dirigentes del Organismo Mundial de Cursillos de Cristiandad (OMCC), a dicha reunión; la siguiente entrevista fue realizada a su regreso de Roma.

# LOS REMIENDOS DE DIOS SON MEJORES QUE LAS OBRAS NUEVAS

*E*n 1998, con motivo de la celebración del año del Espíritu Santo, Juan Pablo II mantuvo una reunión con los fundadores y líderes de los movimientos eclesiales más importantes del mundo. El objetivo de la cumbre, según las propias palabras del pontífice, era «estimular la nueva evangelización, tan urgente para la Iglesia de hoy». Eduardo Bonnín fue invitado a asistir, con los dirigentes del Organismo Mundial de Cursillos de Cristiandad (OMCC), a dicha reunión; la siguiente entrevista fue realizada a su regreso de Roma.

*- ¿Católicos o cristianos?*

- Cristianos. Yo creo que lo de católicos sectoriza un poco y ahora tenemos una visión mucho más ancha. Yo me siento cristiano. Creo que una cosa no excluye a la otra, pero amplía la visión.

Hay quienes quitan lo sustantivo de lo cristiano. Hay mucha diversidad, fondo común y caminos distintos. Pero fíjate que el hilo, el nervio, la arteria, la substancia del Evangelio, se desvía del vértice global del vivir en general, de lo que debería ser la nervatura para comunicar dinamismo personal, auténtico e ilusionado a cada uno. Porque el reino de Dios está dentro de nosotros mismos, no en estas obras. Ellos hacen estas obras como consecuencia, porque no hay cristianismo.

Lo humano es la conjunción de lo más divino, pero la gente coge el Evangelio por la cáscara, no por la pepita. El cristiano hace sinfonía del ruido, porque el Evangelio sitúa todo en su lugar.

Recuerda que existe la fe del creyente y la fe del practicante: el primero se queda anonadado por todo lo que Dios le ha dado, el segundo le presenta la cuenta con el número de misas a las que ha ido y el número de oraciones que ha rezado.

- *León Felipe decía que «el templo termina por aplastar la doctrina».*

- Prefiero decir que la organización se come la mística, me parece un poco más exacto.

- *Fue lo que le dijiste en Venezuela al cardenal Pironio[1].*

-Yo le dije que, normalmente, en los movimientos se empieza con una mística, después precisas de una política para mantener esa mística y al final la política se come a la mística, fue lo que le expliqué. Esta es una ley que es siempre así. Todas las revoluciones empiezan con una voluntad de cambio y, después, no cambian nada.

-*Algunas veces ¿se respira poco cristianismo en las iglesias?*

- Desde hace algunos años siempre hay un fiel, voluntario 0 elegido, que lee las lecturas. A mí me gustaría coger a ese individuo y decirle: «No, esta Lectura no la lees, la lee esta mujercita que apenas sabe leer, pero que la leerá porque tiene la voluntad y porque también le gustaría hacerlo». A veces me impresiona la cantidad de orgullo que se acumula en quien sube a leer ¿tú te imaginas? Lo increíble es que cuando llegan a su casa, los que tratan peor a sus familias son los más beatos. Me acuerdo de un amigo que me decía: «Cuando mi madre venía de confesarse, lo pasábamos muy mal todos, porque tenía que ser perfecta».

- *El nuevo modelo de virtud pasa por lo solidario.*

- Hoy en día parece que está claro que lo correcto es aquello de hacer el bien para ser buenos. Pero podríamos razonar de otra manera, acudiendo simplemente al Evangelio. Por eso a veces creo que estamos cometiendo unas equivocaciones enormes.

Dios se hizo hombre y envió a su Hijo, para el hombre, no para el mundo. Cuando los sacerdotes y la gente buena dicen: «debemos conquistar la prensa y la radio», eso es imperialismo. No, lo que debemos conquistar es el hombre, y si el hombre está metido en la radio ya sabrá lo que tiene que hacer, pero con toda libertad.

---

1) Forteza Pujol, Francisco: Historia y memoria *de* Cursillos. Ed. La llar del ]libre. Barcelona, 1991. p. 186.

ción las verdades salen a borbotones y de una manera explosiva.

Quizá se tendría que quitar esta explosividad, pero hay mucha más veracidad en esto que es materia viva y real, que en cosas que son abstracciones que solamente están en la mente de la gente que

si ve la iglesia llena cree que los que asisten tienen llena la inteligencia y el corazón con lo que se predica.

Esta teología parte de una realidad, es la diferencia que hay entre la óptica de quien ve el mundo desde las tres comidas y quien lo ve desde la incertidumbre de si comerá mañana.

Si la religión solamente sirve para meter gente en la iglesia y para que después no saque las consecuencias de hacer fuera de la iglesia lo que dice la misma liturgia: «Señor, haz que realicemos en la vida lo que celebramos en la fe», es que no sirve.

Basta esto para saber dónde debemos situar la Teología de la Liberación, llevar a la vida lo que se celebra en la fe. Si todos somos hermanos, no vamos a echarles ideales abstractos porque, la vida es muy concreta cuando uno no ha comido.

- *¿Cuál es tu postura hacia el ecumenismo?*

- Antes la Iglesia católica no solía asistir a la reunión de todas las iglesias. Ahora, por vivir en este tiempo, hemos sido llamados al banquete de la globalidad. Nosotros, citando el Evangelio, debemos «ir con el vestido que corresponde»; porque si nos sentamos al banquete de la globalidad sin el vestido de la gracia de Dios, nos van a echar fuera. Hay constancia de que el Señor siempre que era invitado a una fiesta aceptaba la invitación, en cambio, lo que nosotros los cristianos hacemos es aguar la fiesta.

Para asistir al banquete, primero hay que ir vestidos de lo que somos, o de lo que queremos ser o de lo que nos duele no ser. La solución es la misma que en las bodas de Caná, cuando la Virgen dijo: «Haced lo que os diga».

Si se tuviera en cuenta el amor, en vez de las otras cosas, ya estaríamos al cabo de la calle. Las doctrinas siempre tienen una carga de orgullo, de inevitable amor propio. Pero el amor, si es como tiene que ser, no lleva carga ninguna y va dirigido a las personas, individualmente, que es como se adelanta.

Además, estamos en un momento en que si las cabezas nó se

entienden, se entienden los pies: aprenden a rezar juntos, aprenden a hablar de muchas cosas que preocupan a todos y, aunque las cabezas se van a encontrar un día sin cuerpo, no pasará nada, será algo normal, pues cada vez se nota más el ridículo que se está haciendo cuando se defienden cosas que, históricamente, tienen una gran carga de amor propio.

Ya digo, yo no soy quién para juzgar, pero las cosas que no van rectas tarde o temprano topan en algún sitio. Creo que lo que importa es la actitud y te voy a dar un ejemplo: Hay quien cuestiona el vestuario de Madre Teresa de Calcuta, desfasado para estos tiem pos. Lo que interesa de Madre Teresa es su actitud ante el dolor, lo demás pasará de moda, incluso en el año 2050 después de una gran revolución tecnológica, lo importante será que la actitud de una persona ante cl dolor se parezca a la de Madre Teresa.

- *En cierta ocasión escribiste: «En España somos muy religiosos, pero tenemos poca fe».*

- Es tristemente cierto: tan poca, que es casi ninguna. La religiosidad es un torbellino que se lleva la fe y que, además, tranquiliza mucho. Quince padrenuestros seguidos pueden dejar a uno muy relajado y alguno se cree que eso es el cielo.

- *Casi todas las acciones pueden leerse como signos; para ti, qué significado tiene que, en preparación al Gran Jubileo, Juan Pablo II haya decidido reunir a los dirigentes y creadores de los principales movimientos eclesiales del mundo.*

- Ha sido una reunión muy viva, de gente que está despierta. Ahora, hay que comprender lo que después tiene que hacerse con todos estos movimientos. Porque si lo que está tan vivo y con tanto potencial se dedica a cosas que son adyacentes a lo cristiano, algo está mal. Y si, además, ahí encuentras personas que hablan de que lo dejan todo por el prójimo, pero que son poco cordiales y sólo son capaces de sonreírle al Papa... Esto ya no tiene ningún mérito.

Yo soy una persona fácil de engañar, pero hay temas que no los veo tan claros. Estuvieron, también, los que predican mucha unidad, pero desde una postura de superioridad hacia los otros movimientos. De antemano sabemos que el que se cree mejor ya está fastidiado; un listo se diferencia de un tonto en que los listos siempre saben encajar los fracasos y los tontos no saben encajar los éxitos. El pintor ruso Marc Chagall decía: «Perdona mi éxito, pero yo no tengo la culpa».

- *¿Era ésta tu primera entrevista con Juan Pablo II?*

- En 1985 nos recibió, al entonces presidente del Secretariado Nacional de Cursillos de Italia, Ernesto Pozzi y a mí, y fue algo más personal. Después de la reunión y del discurso[2] que nos dirigió a todos en la basílica de San Pedro, nos llamaron y estuvimos a solas con él, pues estaba interesado en saber cuántos cursillistas había en el mundo y si el movimiento ya había llegado a Polonia, ya que, según nos dijo, muchos obispos americanos le habían hablado de los resultados que daban los Cursillos en sus diócesis.

- *En la intervención que recientemente hiciste en el Vaticano, con motivo dc la reunión de los principales movimientos eclesiales contemporáneos, decías: «Creo que todas las iniciativas e inquietudes que, gracias a Dios, casi rebosan por todas partes, tienen ciertamente necesidad del criterio de la jerarquía, a fin de que la reflexión y el juicio puedan aplicar los ímpetus y templar los ánimos. Pero me parece extraño que el camino para llegar a esto sea tan complicado» ¿Puedes concretar más la intención de este mensaje?*

-Hemos de dar gracias a Dios de que ellos sean el molde; nosotros somos la pasta. Ellos tienen que defender el criterio del Evangelio, el Señor dijo: «A quien vosotros oye, a mí me oye».

- *Bajo el título «Signos de esperanza»[3], el obispo Josep Cordes hizo una recopilación y publicación de entrevistas a algunos fundadores y líderes de los movimientos eclesiales que asistieron a esa reunión en Roma ¿te parece esto un hecho trascendente y esperanzador?*

-Tan trascendente como esperanzador, las ideas que han quedado recopiladas son de verdad un signo de esperanza. Opino que hoy

---

2) *Discurso pronunciado por SS. Juan Pablo II en la Ultreya Mundial de 1985:*

*Muy queridos hermanos y hermanas que están tomando parte de la II Ultreya italiana de Cursillos de Cristiandad. Me produce especial alegría este encuentro aquí, en la Basílica vaticana, donde se ha celebrado la Santa Misa con vosotros y para vosotros, y en ella habéis hecho profesión de fidelidad al Papa con la intensidad y entusiasmo con que ahora expresáis vuestra adhesión y atención.*

*En este encuentro junto a la tumba de San Pedro se encuentra la historia de vuestro Movimiento, pues con él se consolida la fe en Cristo .Jesús y en su Evangelio, el amor Y la adhesión a la Iglesia y a la pasión por los hombres.*

*- Mi aprecia por vuestro Movimiento procede, ante todo, de saber que con pedagogía peculiar acerca a Dios fomentando en sus miembros, individual y comnitariamente, una relación firme y concreta con Cristo Jesús.*

**En la Ultreya de 1985 S.S. Juan Pablo II lo recibió por primera vez.**

tiene que haber fe Y cristianos, cristianos con fe, que a veces ni en nuestra propia casa los conseguimos, pues el Cursillo de Cristiandad está diseñado para formar cristianos creyentes y a veces nos salen cristianos creídos. Uno se hace creído cuando cree haber llegado.

Sin querer competir con nadie, los Cursillos de Cristiandad van por una vía distinta. Tenemos un gran respeto por todos los movi-

---

*También los Cursillos de Cristiandad son un instrumento suscitado por Dios para anunciar el Evangelio en nuestro tiempo para que el hombre se convierta a Cristo, para que se salven las almas y para que haya sobre la tierra paz en /a verdad y en la caridad.*

*Pero indudablemente vuestro movimiento tiene características peculiares que lo hacen realmente eficaz solo si se ponen en práctica y se viven totalmente.*

*Pues vosotros, que pertenecéis a los Cursillos de Cristiandad, debéis ser precisarnente fermento en los diversos ambientes de la sociedad moderna para conseguir que el hombre de hoy se encuentre con la mirada del Cristo Salvador.*

*Se trata de una tarea maravillosa y formidable, de un ideal grandioso que exige empeno generoso en orden a aprovechar la posibilidad de formación espiritual que ponen a vuestra disposición los Cursillos.*

*contemporáneos, decías: «Creo que todas las iniciativas e inquie-*
*tudes que, gracias a Dios, casi rebosan por todas partes, tienen*
*ciertamente necesidad del criterio de la jerarquía, a fin de que la*
*reflexión y el juicio puedan aplicar los ímpetus y templar los ánimos.*
*Pero me parece extraño que el camino para llegar a esto sea tan*
*complicado» ¿Puedes concretar más la intención de este mensaje?*

-Hemos de dar gracias a Dios de que ellos sean el molde; nosotros somos la pasta. Ellos tienen que defender el criterio del Evangelio, el Señor dijo: «A quien vosotros oye, a mí me oye».

*- Bajo el título «Signos de esperanzau*[3]*, el obispo Josep Cordes*
*hizo una recopilación y publicación de entrevistas a algunos*
*fundadores y líderes de los movimientos eclesiales que asistieron a*
*esa reunión en Roma ¿te parece esto un hecho trascendente y*
*esperanzador?*

-Tan trascendente como esperanzador, las ideas que han quedado recopiladas son de verdad un signo de esperanza. Opino que hoy
tiene que haber fe Y cristianos, cristianos con fe, que a veces ni en
nuestra propia casa los conseguimos, pues el Cursillo de Cristiandad
está diseñado para formar cristianos creyentes y a veces nos salen
cristianos creídos. Uno se hace creído cuando cree haber llegado.

Sin querer competir con nadie, los Cursillos de Cristiandad van
por una vía distinta. Tenemos un gran respeto por todos los movimientos. Entendemos que hoy el problema es que no hay fe entre los
cristianos. En el camino siempre encontramos que cambiamos una
conversión por una prestación. Y cuando uno hace una presta ción lo
que quiere es «cobrar». Por eso la gente dice: «Yo voy a misa los
domingos y tú qué me das a cambio», bajo este criterio siempre
saldrán perdiendo.

El otro día en una calle, sobre un muro, vi una pintada que
decía: «La religión es producto del poder, de la ignorancia y del
dinero» y tiene cierta razón: Es la fe lo que no es eso. Muchos se
escandalizarán de que diga esto, pero la pena no es que yo lo diga,
sino que sea una realidad. Que la religión sea un tinglado se debe a
que los tinglados son los que producen dinero y poder. Si tú le
enseñas a una persona a tener fe, al día siguiente tendrá más fe que
tú y ya no podrás ser el maestro. En cambio, si le enseñas moral,
siempre vas a ser maestro. Y la gente lo que quiere es eso, ser
maestro, influir sobre las personas y tenerlas sojuzgadas, bien por el

amor o por el miedo. Cuando descubren que los necesitas para ahuyentar tus miedos o para dar cauce a tus sentimientos, entonces dicen: «Ahora te tengo» y es entonces cuando exprimen al individuo... aunque los listos no se dejan exprimir.

Hoy para ser bueno tienes que haber dado dinero para las víctimas de las catástrofes o te tienes que haber preocupado por la deuda exterior de un país tercermundista o en guerra, y me pregunto ¿qué pasa con los que ya tienen bastante con llegar a fin de mes? Si una persona no puede cumplir con las condiciones del concurso, ya no le interesa concursar.

-*Nos podrías dar tu opinión sobre los otros movimientos eclesiales que estuvieron representados en esa reunión: Movimiento de los Focolares, Movimiento Luz y Vida, Comunión y Liberación, Comunidad de Manuel y Camino Neocatecumenal.*

- Creo que en cierta forma ya lo he dicho. Me gustaría dialogarlo, pero es así de claro: «Os encerramos quince días, os cambiamos de mentalidad y os ponemos la nuestra». Esto a la larga ¿no te parece que es crear super cristianos?

Romano Guardini dice que «la Iglesia es la idea que tuvo Dios para que la gente pudiera vivir en comunidad sin perder su personalidad». Esto es una gran verdad y debería ser así. Pero resulta que haciéndolo de otra manera se corre el riesgo de hacer perder a la gente su personalidad, y esto es una pena.

El Cursillo de Cristiandad, bien entendido, sería el espacio posible en el que cada uno aporta su persona, pero la suya, no la del vecino.

Estoy convencido de que, si el cristianismo es capaz de demostrar al exterior que puede unir en un mismo espíritu de familia a personas de diversas clases sociales (al profesor y al artesano, al empleado público y al obrero, a la mujer de negocios y al ama de casa), la fuerza misma de la cosa se convertirá en un impulso irresistible y se trasformará en el mejor instrumento de apostolado. Pero cuando yo dije: «los descargadores del muelle han de ir a Cursillos con los universitarios», me contestaron: «ni lo pienses». Esto no fue apoyado nunca. A veces algunos dirigentes, y quizá algunos sacerdotes, han manejado Cursillos sin tener fe en ellos.

- *En algunas ocasiones has hecho referencia a las personas que han llegado a creer, por la vía de la costumbre y de la rutina, y en las que puntúa más el estar encuadrados en alguna asociación o movimiento que el hecho de estar bautizado.*

- Es así. Si la gente se pone a decir: «Yo pertenezco al Movimiento Familiar Cristiano, yo pertenezco a Cursillos de Cristiandad, yo...» demuestra que no ha comprendido la esencia del ser cristiano; en sus conceptos lo que puntúa no es el bautismo sino el estar encuadrado. Y esto es grave, pues significa que lo que prevalece en el fondo es que la gente quiere ser importante. Pero Dios se hizo hombre para salvar al hombre, no para salvar al mundo; porque con los criterios del mundo se hunde el mundo. Entonces, se vive para el tener y no para el ser, y no hay duda ninguna que el mucho dinero ha estropeado más a los que tienen más que el poco dinero a los que tienen menos.

Humildemente, y con el mayor respeto, creo ver que hay un exceso de direccionismo o paternalismo por parte de ciertos movimientos. Entiendo que si al seglar o a la persona le dan el crédito de persona, le tienen que señalar el Norte, y el Norte es el Evangelio, es la palabra de Dios que se ha hecho hombre y nos ha dicho que Él es el camino, la verdad y la vida; es lo único que puede encaminar, vitalizar y orientar al hombre. Cuando uno sabe dónde está este Norte, puede deducir dónde esta el Sur, el Este y el Oeste; pero, en cambio, si le explicas tantas cosas, y es inteligente, se cree que le tomas el pelo o que lo tienes bajo sospecha.

*-¿Cuáles son los obstáculos más frecuentes en el proceso de conversión?*

- Fastidiar, interrumpir, desviar la gestación del proceso de conversión personal y cambiarlo por hacerle a Dios el favor de una prestación personal a la que se es llamado por personas muy conocidas y amigas de Dios (pero que empiezan a estar hartas de servirle sin empuje y sin entusiasmo, pues se metieron en la aventura cristiana al haber sido impelidos sin estar convencidos ni decididos), estos son los que descentran hacia el quehacer concreto e interrumpen en ellos y en los demás estos procesos.

El de conversión es muy importante, porque es un proceso de claridad, de toma de contacto con la realidad, de aceptación, porque con Dios viene todo: un desarrollo de aceptación de la historia personal y de disminución del miedo al futuro y a la muerte. Todo son ventajas. Pero cuando te imponen una prestación, todo es al revés. El catecismo, si es algo pensado y que tiene un respaldo, está muy bien. Pero si es enseñar las verdades que nunca se ven realizadas... la gente está cansada de hilar sermones que no estén encarnados en la realidad. Con cosas del sentido común (que es el menos común de los sentidos para la gente), has de ir a la realidad, para que la gente tome contacto con la realidad.

Para que aterricen todos estos conceptos, te quiero leer una carta[4] que he recibido de un cursillista que, para mí, reúne algunas ideas importantes y que ejemplifica lo que te he querido decir sobre algunas personas que han sacado el mayor provecho de los Cursillos. Esta persona, concretamente, no ha tenido ningún polo a tierra, se ha entregado a su proceso de conversión y nadie le ha impuesto ningún tinglado ni ha madurado el proceso por él. Es la carta de una persona que ha ido a Cursillos y no se confía en nada más, va a la Ultreya pero no se casa con cualquiera.

A veces yo no tengo tiempo de tener Reunión de Grupo en la Ultreya, pero un lunes que la hice vi que un compañero estaba triste, que no tenía la misma alegría que antes. Él me dijo que lo habían pescado en algo concreto para leer no sé qué cosa y que lo habían comprometido para enseñar algo ¡ya estábamos una vez más! Te ofrecen la vía pía, no hacen caso de nada y estorban el proceso de conversión.

- *Hay retos, cambios, que Juan Pablo II plantea frente al próximo milenio.*

- A mí me parece muy bien y lo creo una gran idea, pero a veces pienso si no es esto lo que el mundo necesita. A mi pobre entender, el mundo no necesita una vuelta, es la Iglesia la que tiene que cambiar porque ha cambiado el mundo; pero el humano sigue siendo el mismo, en el fondo no hay que cambiar nada, bastaría una cosa: comprender el «como a ti mismo», ¿para qué buscarle tantos recovecos?; convertíos y creed en el Evangelio ¿cómo tengo que amar?, como a ti mismo. Mira si es sencillo.

Por qué una persona puede tener de todo y estar amargada, y otra, carecer de todo y estar contenta... ¿esto no le dice nada a la gente? Dios dice, a través de Cristo, que la felicidad y el reino de

---

4) Nota a final del capítulo (pág. 142).

Dios están dentro de nosotros mismos, no hay que buscarlas en otra parte, no hay que hacer ver a la gente las responsabilidades que adquiere al ser bautizada, sino las posibilidades: es algo tan simple y tan antiguo. Los remiendos de Dios son mejores que las obras nuevas.

*4) Mi muy querido Eduardo: Como te prometí hace poco por teléfono, voy a escribirte esta carta, y así de este modo, recordar aquellos tiempos que pasamos ahí en tu isla de Mallorca, que también es la mía.*

*Pues .sí, recuerdo muchas veces el tiempo de mi servicio militar transcurrido en Mallorca, no por la «mili» en si, sino porque fue una bendición de Dios, que yo hiciera la «mili» en Mallorca, por la cantidad de gracias que Dios me dio y valores que por medio de Él yo descubrí en ese tiempo maravilloso que yo pase ahí.*

*Uno de los valores que yo descubrí fue el de la Amistad, pues el Señor me hizo el regalo de descubrir y vivir los cursillos de Cristiandad, que a mi particularmente me han marcado de una manera muy especial y positiva.*

*Yo viví después del Cursillo, (esto era en junio de 1965) la gozada de la Gracia, (pues con ella caminamos hacia Dios) más plena y maravillosa.*

*Yo estaba muy bajo de moral, pues acababa de recibir de la primera chica que me enamoré, la calabaza más grande que se pueda producir por nuestra huerta valenciana. ¡Figúrate cómo estaría yo! pues esto no me lo esperaba. Pero como había otro chico por medio a mí me tocó las de perder. (Aunque fue por poco tiempo). Bueno pues el cursillo y después el post-cursillo, con las visitas a tu casa en la calle Sindicato, fueron un bálsamo gratificante para mi persona. Las reuniones de grupo que hacíamos con los amigos, la amistad con Rafael, Lorenzo Tous, también me acuerdo de Antonio Darder rector de mi cursillo, que me animó en todo momento durante los tres días del cursillo, me catapultaron a una cima que yo nunca esperaba escalar. Me acuerdo de una frase de mi cursillo que venia a decir «Nuestra personalidad encajada en un eje de Cristo», que puso en marcha mi persona, una cosa especial, pues empecé a descubrir a un Dios de Amor, a un Cristo diferente, que me quería a mi a pesar de lo que soy (muchas veces un desastre), y así empecé a vivir una vida diferente, disfrutando de esa Amistad de Cristo, que ahora lo tenía y lo tengo aún muy cerca de mí, sé que Él me quiere y me mima a pesar de lo que soy. Y este Cristo que descubrí en Cursillos y que caminamos los dos juntos, aunque alguna vez me quede rezagado en el camino, yo sé que Él me espera, me llama y me da ánimos para seguir caminando hacia la Casa del Padre.*

*Este Cristo que tiene que ganar muestro ambiente, como muy bien se decía en mi Cursillo, me ha colmado de gracias y bendiciones.*

*Uno de los regalos que me ha hecho es la mujer que tengo, y que un día me dio calabazas, otra vez la mujer de mis sueños, la misma que antes no tenia decidido a quién de los (los pretendientes escoger y que el Dios del Amor me la guardó y regaló para mí, siempre le estaré agradecido a ese Dios del regalo tan maravilloso que me hizo al darme a la mujer que tengo por esposa y también a los hijos que me ha dado.*

*«La Gracia nos hace agradables y amigos de Dios», esta frase también es de los Cursillos y es una verdad como un templo.*

*Orar es muy importante, hoy en las lecturas de la misa, así nos lo ha recordado el .sacerdote, pues por la oración puedo conseguir todas las gracias que necesito.*

*Todos los domingos por la mañana voy a abrir la Iglesia, aquí en mi pueblo, y a las siete y media de la mañana ya estoy en la capilla del Sagrario haciendo mis oraciones y plegarias leyendo la Guía del Peregrino, bueno pues estar haciendo compañia al Señor, es una gozada.*

*Esto es una de las cosas que en los Cursillos aprendí, hacer la visita a Cristo allí en el Sagrario y disfrutar de su compañía, ¡Oye, sales como nuevo y con ganas de comerte al mundo! «Gracias al Señor por todo esto y mucho mas».*

*Todo esto es fruto y Don del Espíritu Santo, ya que con Él en nuestra mente y corazón podemos transformar el mundo y comunicar la salvación del Señor Jesús.*

*Bueno no te canso más, pues me he enrollado y no sé si he sido capaz de transmitirte todo lo que siento.*

*«Dios nos quiere tal como somos; ésta es la Gran Noticia». Un abrazo v hasta todos los días.*

*De colores.*

# EL CRECIMIENTO ANÁRQUICO DE LA BUENA SEMILLA, PRODUCE CONFLICTOS MÁS RAROS QUE LA CIZAÑA

*L* *a semilla de cursillos se ha expandido por el mundo y Eduardo ha ido tras ella, fertilizando y fermentando los ambientes en los que está llamada a crecer «No tengo un cuenta kilómetros en los pies» es algo que le gusta decir para no repasar el itinerario internacional de su vida y para escabullirse de la significación que le da el haber proclamado el Evangelio, al menos en cuarenta países, a lo largo de su vida. Repasando su agenda se puede escribir con certeza que sólo entre 1996 y 1999, el tiempo que ha durado nuestra entrevista, él ha estado en China, Australia, Portugal, Italia, México, Estados Unidos, Guatemala, El Salvador, Nicaragua, Honduras, Chile, Hungría...*

- *¿Estás más satisfecho de la implantación que han tenido los Cursillos en el resto del mundo, que en tu propio país?*

- En los cinco continentes hay constancia del fermento que ha producido esa semilla, se ha dado un apoyo grande al movimiento. Muy distinto de lo que ha ocurrido en España, donde lo que ha interesado es hacerlo pío.

- *Posiblemente es América el continente en el que este movimiento florece con más fuerza.*

- Quizá porque hacia América Latina se dieron los primeros pasos fuera de España. Y con los Estados Unidos ocurre que es un país que no tiene pasado, buscan su historia en el futuro o en el presente, les interesa cualquier cosa y todo tiene una importancia enorme para ellos. Allí llamó mucho la atención el fenómeno de los Cursillos, incluso de la universidad de San Diego nos enviaron un psicólogo que estuvo aquí dos años, pensionado, estudiando los orígenes del movimiento. Después, recibimos una propuesta de esa universidad para comprar todos los originales de los rollos (no podían ser copias). Yo dije que no, que ese material no saldría de Mallorca. Allí le dan toda importancia, en cambio en España tanto les da.

*- ¿Te has planteado qué hubiera ocurrido si hubieras aceptado vender los rollos a la Universidad de San Diego?*

- No lo sé, yo no hablo por lo crematístico, por la trascendencia. Simplemente no se podía hacer una cosa así, sería como vender la catedral de Palma a los alemanes. Leamos en esa anécdota sólo un signo de valoración por los Cursillos.

Hace mucho tiempo estuve en una conferencia en los Estados Unidos y dijeron que la nación (Estados Unidos) se había formado por la apertura que habían tenido hacia todas las culturas, pero que eso había terminado porque no podían ser el estercolero de Europa, una nación cimentada en emigraciones de pobreza, en aventureros y chicos que habían dejado sus casas de cualquier manera. «Ahora ya somos una nación y no queremos influencias de nadie», dijeron como si fueran los inventores del chauvinismo, pero dentro de esa actitud destacaron y valoraron lo que les ha influido España con los Cursillos de Cristiandad.

*- En la residencia de los padres franciscanos de Waco, Texas, hay una placa de mármol que señala que ahí empezaron los Cursillos de Cristiandad en Estados Unidos ¿por qué ahí?*

- La historia de Cursillos está llena de pequeñas historias y esto es porque se trata de un movimento de humanos, no de instituciones. Fíjate bien: Bernardo Vadell acababa de salir de un Cursillo en Mallorca y estaba entusiasmado, ardiendo, con ganas de hacer cosas y, en ese momento, le vino aprobada una solicitud que había hecho mucho tiempo atrás (porque era aviador militar) para irse a Estados Unidos. Tuvo un disgusto cuando le llegó la aprobación pues no quería alejarse del ambiente de Cursillos, pero le dijimos «llévate el

**Durante un discurso en Waco, Texas**

*a la Ultreya de Monterrey..*

- Monterrey es el corazón industrial de México. Ahí hay trabajo, no se ve la pobreza que hemos visto en el Distrito Federal. Los organizadores echaron la casa por la ventana, recibieron huéspedes de todo México, de Estados Unidos, de Colombia y de Guatemala. Asistieron veinticinco mil personas, no fue tan grande como la de Tampico, a la que asistieron cuarenta y nueve mil, pero la organización fue perfecta: el alojamiento para todos, el servicio médico, la alimentación, la comunión... Todo marchó como un reloj.

- *¿Conservas algún recuerdo especial de ese viaje?*

- De tu país siempre hay cosas gratas que recordar: Una noche nos llevaron mariachis, se me ocurrió decir que me gusta mucho aquella canción de *La vida no vale nada* y me la cantaron más de cien veces.

Pero el recuerdo más impresionante, siempre, es el de las personas. Hablar a más de veinticinco mil, es algo que te impone. Expliqué lo que son los Cursillos, luego nos metieron en un palco blindado con cristales, como si fuéramos unos señores. Me hubiera gustado estar más abajo para ver a la gente, porque después de tantos viajes conozco a muchos y es una oportunidad para saludarlos. Estuvimos con una familia extraordinaria, de una nobleza natural admirable; me fijé en que hablabas con uno u otro y todos estaban ardiendo por dentro, pero no creo que fuera por los discursos, aunque nunca falta el que le gusta tocar la fibra... Aquel estadio estaba lleno, a última hora se presentaron cinco mil más de improviso, lo importante es que la comida que había prevista se repartió entre todos.

- *En un documento sobre historia de Cursillos elaborado en Irlanda, se habla de que en determinados lugares el nacimiento de los Cursillos ha obedecido a dos modelos: de abajo hacia arriba o de arriba hacia abajo.*

- Los Cursillos siempre han nacido de abajo hacia arriba; lo que ha ocurrido, a veces, es que son los sacerdotes quienes se han entusiasmado y han promovido su nacimiento.

Australia o los Estados Unidos son un ejemplo de nacimiento

aquella canción de *La vida no vale nada* y me la cantaron más de cien veces.

Pero el recuerdo más impresionante, siempre, es el de las personas. Hablar a más de veinticinco mil, es algo que te impone. Expliqué lo que son los Cursillos, luego nos metieron en un palco blindado con cristales, como si fuéramos unos señores. Me hubiera gustado estar más abajo para ver a la gente, porque después de tantos viajes conozco a muchos y es una oportunidad para saludarlos. Estuvimos con una familia extraordinaria, de una nobleza natural admirable; me fijé en que hablabas con uno u otro y todos estaban ardiendo por dentro, pero no creo que fuera por los discursos, aunque nunca falta el que le gusta tocar la fibra... Aquel estadio estaba lleno, a última hora se presentaron cinco mil más de improviso, lo importante es que la comida que había prevista se repartió entre todos.

- *En un documento sobre historia de Cursillos elaborado en Irlanda, se habla de que en determinados lugares el nacimiento de los Cursillos ha obedecido a dos modelos: de abajo hacia arriba o de arriba hacia abajo.*

- Los Cursillos siempre han nacido de abajo hacia arriba; lo que ha ocurrido, a veces, es que son los sacerdotes quienes se han entusiasmado y han promovido su nacimiento.

Australia o los Estados Unidos son un ejemplo de nacimiento en que los Cursillos parten de abajo, promovidos por seglares; sin embargo, han existido otras experiencias distintas, como sucedió en Guinea: El obispo fue a visitar a la Virgen de Montserrat y cuando salió se encontró con un grupo de gente muy entusiasmada cantando «De colores», al obispo le produjo curiosidad aquel grupo, se acercó a ellos y le explicaron lo que eran los Cursillos. Su respuesta fue inmediata «yo lo quiero en Guinea» y él se comprometió, me mandó llamar y fuimos a fundarlos a su país.

Claro, hay que pensar que en Guinea los sacerdotes viven muy cercanos a la realidad, porque en los países donde no viven tan cercanos a la realidad prefieren más arreglar la Iglesia que arreglar al hombre.

Un ejemplo similar es el del padre Cascales, que ha llevado los cursillos a Checoslovaquia, Austria, Hungría, Croacia... En estos países también se empezó desde arriba, promovidos por un sacerdote.

- *En «Historia y memoria de cursillos», Forteza alude a que en algunos lugares «la realidad superó el diseño y los dos modelos teóricos se hermanaron».*

- Esto hace referencia a lugares como México, donde nació el primer Secretariado Nacional. Es como cuando se hace un túnel, se empieza desde los dos extremos y se encuentran en medio. Al final ha permanecido lo que tiene que permanecer, Cristo murió por todos, no para ricos o para pobres.

- *¿Qué proceso de nacimiento de Cursillos es el que más te ha gustado?*

- China nacionalista no se puede decir que sea la encarnación de lo pretendido, pero el proceso se dio muy bien; también en Leones, Argentina, son sitios en los que se escucha a los convertidos y se va más por lo humano que por lo pío.

- *Escribir con detenimiento el itinerario de los viajes que has realizado a lo largo de tu vida, requerirá una investigación aparte más allá de los archivos de tu memoria... Has estado tres veces en China. En 1966 viajaste a Brasil, Nueva York y Perú; en el 67 a Bolivia, Costa Rica, Miami y participaste en la III Convivencia Nacional de Dirigentes en Guadalajara. El 4 de mayo de 1968 acudiste a la Ultreya de Fátima... En 1998, después de una década, regresaste a Chile y llegaste hasta Tuvulú, Santiago, Valparaíso y Temuco. También ese año viajaste a Bolivia, Guatemala, México y estuviste en Rávena y Padua. Recientemente, en 1999, ha estado una vez más en Roma... ¿Qué sensación general recoges de tu encuentro con tantos cursillistas y, a la vez, con tantos Movimientos de Cristiandad?*

- Siento que la gente está muy entusiasmada por Cursillos y eso que el mensaje les llega de una manera muy diezmada. Que si se llegara con el tanto por ciento que corresponde, estaría mucho mejor. Pero no conviene, porque parece que el mundo no puede recibir según qué dosis de verdad.

Yo ahora soy gubernamental, me han acogido en el OMCC, por lo tanto yo no puedo estar en contra. A mí me gusta la revolución, pero si las cosas ya están revolucionadas para qué voy a armar más revoluciones, es una tontería. Pero considero que en este momento la idea de los Cursillos es completamente distinta de lo que se necesita ahora. Noto, por ejemplo, que la jurisprudencia del secretariado del OMCC está hecha para mandar. Ahora ellos quieren hacer una reedición de *Ideas fundamentales,* pero se trata de unas ideas fundamentales que han hecho más mal que bien, son, y me apena decirlo, las ideas fundamentales del padre Cesáreo.

Permíteme que te lea algo:

a... *Hoy el mundo está sacudido. Vivimos un tiempo insólito. La Iglesia está siempre en camino, pero no siempre está pasando la coyuntura de un puente, como ahora.*

*Nos ha tocado vivir una época maravillosa: se está dando el salto desde un concepto de la vida esencialista a la vida existencialista, de una concepción estática a una concepción dinámica, desde lo institucional a lo comunitario, de la norma al criterio, de la imposición a la opción, de la ideología a los valores, de la seguridad a la búsqueda, de la observancia a la creatividad, de la sumisión a la responsabilidad, de la integración al inconformismo social.*

*Pero sabemos bien que Dios-Espíritu Santo está en todo: en el impulso, en el salto, en el vértigo de la altura, en la certeza del mejor aterrizaje».*

Esto que oyes es lo que quiere el Cursillo y es precisamente lo que no pasó a las *Ideas fundamentales;* está claro que ellos lo que quieren es su iglesia, no la Iglesia.

La genialidad de los Cursillos es que son seglares. Y si tú echas un vistazo a los documentos del Concilio (y no precisamente a aquellos en los que se refieren a los seglares), te encuentras que en el Concilio I hablan de los seglares incluso antes que de los sacerdotes, revalorizando la filiación qué nos da el bautismo. Pero lo que nos dieron en el Concilio I nos los quitaron en el II, la puerta de lo seglar se volvió tan ancha que por ahí entraron todos. Olvidan que Cristo distinguió entre la gente, a los que llamó «bienaventurados», y sus apóstoles, a los que llamó «la sal de la tierra».

El Cursillo se interpreta como llamamiento de Cristo o como itinerario hacia Dios, la Iglesia tiene que comprender que hay dos clases de cristianos, los que entienden la adopción de la fe como el llamamiento de Cristo, y los otros, los bautizados. El Papa no ha mucho decía que más que nuestro cumpleaños debemos celebrar el día de nuestro bautizo, esto es tener las cosas en su eje.

En este viaje que acabo de realizar con motivo de la celebración de los treinta años del inicio de los Cursillos en Roma (noviembre de 1999), se habló de un programa de actividades en el que tendrían que participar cinco de los iniciadores... a mí me gustaría saber dónde los van a encontrar. Me ponen como coautor, y me gustaría saber quién es el otro. Tú sabes que no lo digo en defensa de ningún protagonismo, nada más alejado de mis intereses, sino porque me gustaría recuperar la autoridad que da la autoría para corregir desvíos absurdos, pero que, proyectados hacia el futuro, pueden llegar a ser muy grandes. Dicen que cualquier desvío en la línea de lo doctrinal produce una catástrofe proyectándolo, porque hay errores de rumbo y errores de cálculo, y un error de rumbo de un grado 0 dos pude hacer que te haga llegar a las Azores cuando tu destino era un punto de América. Esto nos puede llegar a ocurrir.

En Roma, hace mucho tiempo, dieron la orden de que los Cursillos deberían ser únicamente para los hombres de una determinada edad; yo protesté, pero como siempre, no me escucharon. Ahora los Cursillos ahí son cosa de viejos, pero esto ocurre también en Inglaterra, en Argentina o en Irlanda, en los lugares donde los Cursillos llegaron a través de las ideas fundamentales del padre Cesáreo. Ahí se ha excluido a los jóvenes, no hay sangre nueva, y ahí el Cursillo no tendría futuro si no supiéramos que el que lo aguanta es Cristo.

Ahora en Roma noté la ausencia de jóvenes y poca fe por parte de los mayores, porque ellos se creen que los Cursillos fueron una espuma de su juventud; Mussolini decía que «la juventud es una

tábamos siempre a la una y media de la madrugada, fue una experiencia muy intensa.

Después fuimos a dar un Cursillo de Cursillos a California acompañados por Juan Ruiz, una gran persona al igual que su esposa Conchita. Posteriormente regresé a Nueva York a seguir las visitas; fui a Congress Street, donde hacen Cursillos casi cada mes y a Sant George Center, que es el centro de Cursillos de Manhattan, al que asiste gente de un nivel más alto. Son edificios de alojamiento con una capilla. Todo eso lo coordina el padre José Barceló, un mallorquín muy capacitado que ha entendido muy bien la esencia del movimiento de Cursillos.

Lo más emocionante de este viaje fue ir a ver a una señora que hace veinte años estuvo al frente de un Secretariado de Nueva York. Estuve con ella y fue muy entrañable comprobar que después de veinte años conservaba la *Guía del Peregrino* que yo le firmé.

En general, en todos mis viajes, acostumbro ir a visitar a los cursillistas que están enfermos o que pasan por un mal momento.

- *También en 1997, del 30 de septiembre al 4 de octubre, se celebró el V Encuentro Mundial del Movimiento de Cursillos. La dieta y el mobiliario coreano, o la falta de él que implica dormir en el suelo, salpicaron el viaje de incomodidades, pero más allá de lo anecdótico, ¿qué es para ti lo más reseñable de este viaje?*

- Hay algo que fue de verdad emocionante, me hizo llorar y no fui el único. Una señora explicó, en coreano, que tenía dos hijos, un hijo y una hija, que se llevaban catorce años de diferencia entre ellos. Confesó, no sin avergonzarse, que sentía antipatía hacia su hija. Y entonces contó que un día la hija se llevó al hermano a una excursión campestre al lado de un río y que el río se había llevado al hijo junto con tres compañeros. Le llamaron por teléfono para decirle que su hijo se había ahogado, cuando llegó al lugar dio toda la culpa a su hija y estuvo a punto de enloquecer, obsesionada porque no encontraban el cadáver... Finalmente lo encontraron y lo llevaron a incinerar. Cuenta que al salir de la incineración el marido le dijo «no te desesperes, quizá vamos a tener otro hijo» y que ella tomó tan mal esas palabras que de ahí se fue directamente a un abogado para pedir el divorcio.

Una vez entró a un templo católico, se hincó frente a una figura de Cristo y se sorprendió de encontrar un gran parecido entre Cristo y su hijo. Empezó a ir a esa iglesia cada tarde y pasaba largas horas frente a aquel Cristo. Estando ahí, un día se le acercó una persona y le propuso ir a Cursillos. Entonces ella, con esta poesía, transparencia y solemnidad oriental, empezó a contar que aquello fue el despertar de todo, que en aquel momento descubrió a los pájaros e incluso la belleza del río... En el fondo cambió toda su perspectiva y concluyó diciendo «actualmente mi marido, mi hija y yo somos dirigentes de Cursillos y, además, la quiero muchísimo». A todos los asistentes, novecientos nueve dirigentes de todo el mundo, nos emocionó ese relato.

- *Y a Jesús Valls, cuya juventud hacía tan polémica su asistencia ¿cómo le fue en este viaje?*

- Jesús tiene una simpatía, una oportunidad y una naturalidad poco frecuentes. Es de esas personas a las que, o las quieres muchísimo o las tienes que matar. Domina las situaciones y te recrea con su espontaneidad. Es un gran compañero y un gran amigo, rehuye protagonismos y tiene una sensatez de persona mayor. Fueron veinticuatro horas de avión y fuimos por Rusia y Siberia, imagínate.

- *Tengo entendido que los contínuos viajes que estás realizando te están impidiendo terminar dos libros que pueden ser fundamentales para el futuro de Cursillos, uno es «El estudio de lo social» y el otro «De lo humano a lo cristiano y de lo cristiano a lo humano» ¿No te inquieta la posibilidad de dejar inconclusas estas obras?*

- Sí, me inquieta, pero yo, en conciencia, no me puedo negar a acudir ahí donde me llame. Al único sitio que me he negado a ir es a Nicaragua, porque ahí no lo veo claro y no puedo hacerme partícipe de aquello que no entiendo.

Pero mira, Dios lo tiene todo previsto: yo nunca me imaginé esto del herpes que estoy padeciendo y que dura más que una cuaresma, es algo que este año ha limitado mi viajes: el que ha dicho «no» ha sido Dios, a mí nadie me hubiera parado más que él.

Yo hay mañanas en que no encuentro a Eduardo Bonnín y necesito encontrarme para trabajar... Pero hay que viajar, hay que aclarar conceptos, hay que ofrecer todas las explicaciones que hagan falta, pues el crecimiento anárquico de la buena semilla, produce conflictos más raros que la cizaña.

Jesús Valls actual presidente del Secretariado de Cursillos de Cristiandad,

## LO QUE MÁS ME INTERESA ES SABER A DÓNDE VA EL MUNDO, PARA QUE CUANDO LLEGUE NOS ENCUENTRE ALLÍ

*Para un hombre que no conoce distancias espaciales ni temporales, que habla de los evangelios como si acabaran de salir de imprenta y que hoy pisa Corea y pasado mañana Tierra del Fuego, traer a cuento el fin de siglo parece un absurdo. Le propuse una entrevista de carácter finisecular, en la que abordáramos el futuro; pero, rehuyendo toda trascendencia, lo único que hizo Eduardo fue recordarme que somos como niños, que le damos importancia a los cumpleaños, a los fines de año, a los fines de siglo y a los de milenio, cuando realmente todo sigue igual y lo que tenemos que celebrar cada mañana es estar despiertos.*

*No obstante, realicé esta entrevista con preguntas que se habían ido quedando dormidas en el disco duro, deseando que du-*

# LO QUE MÁS ME INTERESA ES SABER A DÓNDE VA EL MUNDO, PARA QUE CUANDO LLEGUE NOS ENCUENTRE ALLÍ

*Para un hombre que no conoce distancias espaciales ni temporales, que habla de los evangelios como si acabaran de salir de imprenta y que hoy pisa Corea y pasado mañana Tierra del Fuego, traer a cuento elfin de siglo parece un absurdo. Le propuse una entrevista de carácter finisecular, en la que abordáramos el futuro; pero, rehuyendo toda trascendencia, lo único que hizo Eduardo fue recordarme que somos como niños, que le damos importancia a los cumpleaños, a los fines de año, a los fines de siglo y a los de milenio, cuando realmente todo sigue igual y lo que tenemos que celebrar cada mañana es estar despiertos.*

*No obstante, realicé esta entrevista con preguntas que se habían ido quedando dormidas en el disco duro, deseando que durante muchos años pueda vivir más allá del calendario y sobrevolando el nuevo milenio.*

*- ¿Te has puesto a pensar que el negocio de tu familia fue el de exportar, frutos y que tú, años más tarde, te has dedicado a lo mismo, a la exportación de frutos espirituales?*

- Lo mío no es una dedicación, es una actitud. La palabra dedicación lleva implícito el concepto full *time* y éste se mezcla con lo que tiene que dar dinero. Lo mío es otra cosa. Cuando a mí me dicen que yo trabajo en esto, me sorprenden; porque a mí nunca se me ha ocurrido que esto sea un trabajo. Si se ve como un trabajo, es que no se entiende.

*- Los fundadores depositasteis en el mundo las semillas, poste-*

155

*riormente soplaron vientos que las hicieron germinar en muy diversos terrenos. Si tú hubieras tenido capacidad para dirigir el curso de esos vientos ¿dónde te hubiera gustado que cayeran las semillas?*

- Estos vientos no necesitan ninguna orientación humana, fluyen con la orientación evangélica. La semilla del Cursillo es lo fundamental cristiano y eso no necesita de nuestra mano.

- *Después de los viajes que has realizado en los últimos años ¿cuál es tu diagnóstico sobre el estado de los Cursillos de Cristiandad?*

- Salvo en España, el Movimiento en el mundo va bien. Aunque, la encarnación de lo pretendido creo que sólo ha llegado a la madurez en la República de China (Taiwán).

- *En 1999, a doce años del Sínodo llamado «Vocación y misión de los laicos» en el que se entreveía que los pastores de la iglesia no estaban en absoluto de acuerdo en considerar los nuevos movimientos como una ayuda pastoral o como un signo del Espíritu Santo para la misión de la Iglesia en nuestros días ¿las cosas han cambiado un poco o siguen en el mismo punto?*

- Me apena decirte que esto no ha cambiado y creo que no cambiará mientras no haya una sacudida fuerte. Pero no debemos desesperanzarnos. Mira: Había un señor que tenía un predio enorme, con cientos de campesinos a su servicio. Uno de ellos, el que cuidaba las hortalizas, consiguió, con mucho cuidado, cultivar un rábano que medía un metro.

Le puso un lazo y se lo llevó al dueño de aquel predio diciéndole: «Esto es suyo pero fíjese en lo que he conseguido». El dueño, emocionado, le echó un sermón tipo «Hacienda somos todos, el predio es mío y vuestro... Estoy muy contento, no sé como gratificarte...» sacó de la cartera quince mil pesetas y se las dio.

Entonces, el que cuidaba los corderitos pensó: «Yo limpiaré y peinaré a un corderito, le pondré un lazo, se lo llevaré al amo y, si a él por un rábano le dio quince mil pesetas, a mí quién sabe cuánto dinero me va a dar...»

El propietario lo recibió, le echó el mismo discurso de «Hacienda somos todos...» y llegó de nuevo hasta el punto de decirle «no sé cómo gratificarte por esto». Entonces le dijo: «Aquí tienes este rábano que me ha costado quince mil pesetas».

Con el Señor ocurre lo mismo: cuando las cosas, aunque sean pequeñas, se hacen con toda sinceridad y cariño, Él las acepta muy bien.

Lo que nace de dentro es lo que realmente vale, al Señor no lo podemos tomar por tonto y la fe es simplemente eso, creer en que nos ama, aunque a veces nos cuesta bastante porque se mueren los seres queridos, pero Él sabe más que nosotros, no sabemos cuánto. Si vemos un juego de manos podemos decir que eso tiene trampa, pero hablando de Dios sólo podemos decir que tiene misterio. Y «ante el misterio -dice Gilbert Keith Chesterton- no hay que quitarnos la cabeza, basta quitarnos el sombrero».

- *Los días 28 y 29 de julio del año 2000 se celebrará en Roma una nueva Ultreya Mundial ¿tienes previsto asistir?*

- He sido invitado por el presidente del Secretariado Nacional de Estados Unidos y por el órgano Mundial de Cursillos de Cristiandad (OMCC), pero aún ignoro a qué se me ha convocado y asistiré si estoy con vida.

-*Aunque intentas conjugar en tiempo presente todo tu pensamiento ¿tienes algún mensaje para los posibles lectores del futuro?*

- Antes se ponía el acento en que hubiera médicos cristianos, en el sentido de que tenían un dispensario en la parroquia, iban ahí, hacían consultas gratis... Hoy en día, el acento no tiene que ponerse sobre el médico, tiene que ponerse sobre el cristiano; es necesario que haya cristianos médicos y que les interese cristianizar la medicina más que ir a un dispensario, que puede hacerlo, pero con miras más altas, pues no sólo ese es su cometido. Y cuando hablo de médicos, estoy hablando también de obreros, de campesinos, de licenciados, de estudiantes, de todos, mujeres y hombres que debemos cristianizar nuestros trabajos.

Antes se creía que debíamos poner todos los adelantos al servicio del Señor, por ejemplo, la megafonía, para que la palabra del Evangelio fuera bien escuchada por todo el mundo. Hoy no se trata de esto: o metemos lo cristiano en todas las realidades o las realidades se pudrirán; mira, los usos que se hacen de internet son un ejemplo.

Hubo un tiempo en que las cosas humanas parecía que tenían que emplearse para proteger a las divinas. Hoy constatamos que tan sólo las realidades divinas hechas vida en la vida de las personas que las asumen con convicción, las adoptan con decisión y las conservan con constancia, pueden dar el criterio exacto para que los avances científicos y técnicos tengan la densidad humana precisa para contribuir a un auténtico progreso, donde todos los hombres nos sintamos hermanos.

*-Es en las Casas de Oración y en ejercicios espirituales donde se están concentrando las prácticas pías de este fin de siglo y donde, aunque sea fugazmente, se conquistan sensaciones de hermandad. Quiero pedirte tu opinión sobre este hecho.*

- Me parece que el Señor lo pone claro en el Evangelio. Es tan simple como aquello que dijo el Señor a la Samaritana: «ya vendrá día en que adoraréis al Padre, nó en Garizim1 ni en Jerusalén, sino en donde estés».

Yo comprendo que una persona que vive con un gran estrés, tenga necesidad de silencio; pero el que no sabe unirse a Cristo en el ajetreo del mundo, no veo que sea un ejemplo de cristiano seglar o es que está llamado al claustro, y es correcto, pero que eso no perturbe a quienes estamos en el mundo, disfrutando de las cosas del mundo, agradeciéndolas a Dios y rezando.

Hay que rezar para estar conectado, pero no para estar ensimismado ni estar lejos de la Tierra donde Dios nos puso. Las Casas de Oración me parecen bien, pero si los que acuden a ellas se sienten superiores a los demás porque rezan más, yo no lo veo tan claro. Ahora, yo no los juzgo, sólo digo que no lo veo tan claro.

*-En alguna ocasión ¿has asistido a una Casa de Oración?*

- La oración me acompaña cada día, va siempre con uno mismo. Esto de acudir unos días para hacer exclusivamente oración, quizá no me lo he permitido, pero eso no significa que lo haya minusvalorado. Lo que no me gusta es que exista un paréntesis entre una cosa y otra, porque oración y vida integran un presente continuo, ya te he dicho que la vida y el Evangelio tienen que trenzarse.

*-Y sobre los ejercicios espirituales...*

- Muchas veces, encontramos que estos ejercicios son para ais-

diplomacia que esconde otras intenciones, yo creo que hay que ser naturales, normales, y esto es lo que bien dice y bendice Dios.

- *Es tan fácil, y a la vez tan complejo, corno llegar a ser persona.*

- Sobre aquello de «el hombre y su circunstancia» que dijo Ortega, tenemos que pensar que, si las circunstancias pesan más que el hombre, el hombre se atomiza.

La persona tiene cuatro esquinas interiores: la verdad, que es lo que da sentido a la vida; el bien, que es lo que da gozo a la vida; la amistad, que es lo que da aliento a la vida; y el arte, que es la contemplación de la vida. Y tres exteriores: amor, trabajo y diversión. Si todo esto se serena, no pasa nada. Pero el día que uno se enamora se produce un ciclón que se lleva las otras dos cosas: el trabajo, que se resiente, y la manera de divertirse, que cambia. También puede pasar que sea el trabajo o la diversión lo que produzcan los ciclones que arrastren las otras dos cosas; lo que hay que buscar es la brisa suave y constante que nos haga avanzar en todas.

Lo que tiene que lograr la persona es que su actitud corresponda a su aptitud. Mira si es fácil, cada uno lo sabe, pero tiene que descubrirlo. El cristiano que es médico lo sabe porque tiene su conciencia, y la conciencia está mejor hecha que la norma si se ha encontrado consigo mismo, porque sólo se encuentran consigo mismo los que previamente se han encontrado con Dios.

Para mí, lo mejor de la persona y lo mejor del mundo es poder pensar, pero las cosas han llegado a un extremo en que el hombre sólo es feliz cuando no piensa. Me sorprenden las personas que regresan de sus vacaciones y presumen de no haber pensado en nada, cuando al contrario, era el momento de haber pensado en todo.

- *¿En qué momento percibiste el alcance que tendría aquello que habías creado?*

- Siempre he creído que el Evangelio es una solución total y lo ha sido siempre y en todos los tiempos. Lo que pasa es que hay que hacerse la siguiente pregunta que yo me hice en la «mili»: A la gente le pesa la ley o ignora la doctrina.

Creo que lo que sucede es que ignora la doctrina, sino no le pesaría la Ley. La ley sirve simplemente para guardar la doctrina, es como si uno se gasta mucho dinero en una vitrina para guardar una cosa que valga mucho menos que la vitrina... A la gente hay que llevarla hasta el fondo de la evidencia.

*- ¿Cuándo descubriste que las evidencias eran exportables?*

- La verdad es universal, no tiene nacionalidad. Yo no soy la verdad, yo quiero ser un servidor de la verdad y si la verdad se sirve con honradez, se transparenta.

El Cursillo unifica a la persona por el hambre de Dios, pero después es libre. Si yo te comunico hambre de Dios, te convenzo de que la saciarás con boquerones y luego resulta que yo gano comisión con la venta de boquerones ¿qué pensarías? El Cursillo es eso, provocar el hambre de Dios; pero, a veces, la religión que profesa alguna gente, sólo está llena de cómos (cómo vivir la Navidad, cómo comportarse los domingos...) y olvida el qué.

Si uno es profundo, penetra en el encanto de lo cotidiano, si no, se queda en el aburrimiento de lo repetido.

*- La propagación por el mundo del mensaje de Cristo, a través de los Cursillos, ¿nos puede hacer pensar en ellos como en un segundo proceso de evangelización?*

- No, por favor. Aquello no fue una evangelización y hay que pedir perdón por lo que hicimos. Hubo hechos aislados y excepciones, como fray Bartolomé de las Casas, y él lo dijo en América: «Es el momento de pedir perdón».

*- ¿Qué opinión te merece la propagación de la semilla de Cursillos a través de Internet*[2]*?*

- Hay de todo. Me gusta mucho más lo que han hecho los protestantes, se siente que está diseñado con cariño. Lo de los católicos está bien, pero parece que tiende a ser como una «hoja parroquial». También hay otras páginas que están muy bien.

*- Los Cursillos han generado una gran cantidad de publicaciones, pero tú pensamiento básicamente ha quedado plasmado en tus libros: «Evidencias Olvidadas», «Vertebración de Ideas», «Los Cursillos de Cristiandad, realidad aún no realizada» y en «El cómo y el porqué», obra en la que compartiste autoría con el sacerdote Miguel Fernández. En este momento de tu vida, a principios de 1999 ¿estás trabajando en algún nuevo texto?*

- Tengo sin terminar un Estudio de lo Social y no sé si tendré

con la venta de boquerones ¿qué pensarías? El Cursillo es eso, provocar el hambre de Dios; pero, a veces, la religión que profesa alguna gente, sólo está llena de cómos (cómo vivir la Navidad, cómo comportarse los domingos...) y olvida el qué.

Si uno es profundo, penetra en el encanto de lo cotidiano, si no, se queda en el aburrimiento de lo repetido.

*- La propagación por el mundo del mensaje de Cristo, a través de los Cursillos, ¿nos puede hacer pensar en ellos como en un segundo proceso de evangelización?*

- No, por favor. Aquello no fue una evangelización y hay que pedir perdón por lo que hicimos. Hubo hechos aislados y excepciones, como fray Bartolomé de las Casas, y él lo dijo en América: «Es el momento de pedir perdón».

*- ¿Qué opinión te merece la propagación de la semilla de Cursillos a través de Internet[2]?*

- Hay de todo. Me gusta mucho más lo que han hecho los protestantes, se siente que está diseñado con cariño. Lo de los católicos está bien, pero parece que tiende a ser como una «hoja parroquial». También hay otras páginas que están muy bien.

*- Los Cursillos han generado una gran cantidad de publicaciones, pero tú pensamiento básicamente ha quedado plasmado en tus libros: «Evidencias Olvidadas», «Vertebración de Ideas», «Los Cursillos de Cristiandad, realidad aún no realizada» y en «El cómo y el porqué», obra en la que compartiste autoría con el sacerdote Miguel Fernández. En este momento de tu vida, a principios de 1999 ¿estás trabajando en algún nuevo texto?*

- Tengo sin terminar un Estudio de lo Social y no sé si tendré

---

2) http://www.cursillos de cristiandad.com
http://www.expage.com/page/movimiento
http://www.expage.com/page/Cursillos
http://www.venus.beseen.com/boardroom/o/16774
http://www.christusrex.org/www1/camino/ca10-26-97.html
http://www.catholic-church.org/iglesia/movimientos.htm
http://www.cursillos.org/
http://www.home.coqui.net/pepal/
http://www.geocities.com/Heartland/Meadows/8564/spanish.
html http://www.j ps net/mccla/

tiempo de escribirlo. Me han parecido más urgentes e importantes otros trabajos, como la explicitación de lo que pretenden los Cursillos, en vista de que persisten las intenciones de complicar lo más sencillo.

Es muy importante que entendamos el porqué y el para qué del movimiento, para así poder emplear mejor el cómo y para poder llegar de la piel al fondo del ser humano.

Para llegar a alcanzar la plenitud, tenemos que encontrarnos primero con nosotros mismos, para entonces, después, anclarnos en Cristo sintiéndonos importantes, porque para Él todos lo somos. La esencia y finalidad del movimiento es ser fiel al Evangelio, abiertos a las realidades y atentos a las personas; llevar a la vida lo que celebramos en la fe.

Precisamente la intención, el estudio, la reflexión, la oración, la estructura y toda la configuración y el nervio del movimiento de Cursillos de Cristiandad, está pensado, ordenado y vertebrado para ser un procedimiento que se adecue al mundo. Al mundo de las personas, para que a los más posibles, les pueda llegar la buena nueva del Evangelio.

La solución a los problemas del mundo, no está en el mundo, sino en el hombre. Por la gracia de Dios y gracias a Dios, hace muchos años comprendimos (y seguimos comprendiendo) que solamente centrándonos en la persona desde la fe, puede simplificarse, sin tergiversase, el mensaje del Evangelio.

*- En 1944, en el primer Cursillo, dijisteis que no pararíais hasta dar un Cursillo en la Luna. ¿Cómo avanza este proyecto?*

- Una vez me hicieron explicar en Roma lo que son los Cursillos y les dije que era como si se descubriera que el cáncer se cura con un baño de agua de mar, porque los que han estado toda su vida en el laboratorio para intentar inventar la cura contra el cáncer tendrían ganas de matar a los descubridores.

Nunca la suerte de los más ha estado tan al alcance de los menos, por lo tanto, a medida que el mundo avance, tendremos que desarrollar una cortesía cósmica y vivir lo cristiano con todas sus potencialidades. Lo cristiano no es una alternativa, o somos cristianos o no lo contará ni el apuntador. Ser cristianos es saberse redimidos. El Cursillo es comunicar la buena nueva de que Dios nos ama.

Actualmente hay agencias de viajes alemanas que aseguran quince días de buen tiempo en Mallorca y si sus clientes no gozaran de buen tiempo, ofrecen compensaciones, porque ellos han pagado dos semanas de sol. Yo creo que los Cursillos aseguran el apetito, el buen humor y una serie de cosas que optiman el rendimiento personal pero que no son negociables.

Si somos capaces de leer correctamente los signos de los tiempos, vemos que es el Evangelio lo que tiene que marcar el desvío. Nadie tiene que amoldar el Evangelio a su ritmo ni a sus intenciones. Ellos se preguntan ¿por qué se ha apartado la gente?, cuando la gente se ha apartado porque han sido ellos los que se han apartado antes. Vivimos en una equivocación de raíz y todo lo cristiano está enfocado de esta manera. A mí lo que más me interesa es saber a dónde va el mundo, para que cuando llegue nos encuentre allí.

# TESTIMONIOS

*A* *pesar de que la entrevista autobiográfica resulta un método bastante objetivo para transmitir la trayectoria vital de un personaje, en ella no deja de estar presente el autor: sus juicios, sus pre juicios y toda la carga subjetiva que entraña una relación humana.*

*Este último punto se convirtió en lógica preocupación al emprender el trabajo de este libro, pues, en justicia, ¿quién soy yo para tamizar a través de mi subjetividad la trayectoria de toda una vida? ¿era cabal mi punto de vista sobre un persona a la que conozco desde hace apenas unos años? ¿no es tan válido, o más, el de aquellos que lo han conocido y tratado durante más tiempo o, incluso, sólo en otras circunstancias?*

*La única manera que encontré de salvar este obstáculo, fue acudiendo a esas personas y hacer que sus opiniones fueran, también, partícipes del libro. Con ese fin envíe poco más de quinientas cartas, explicando mis objetivos y solicitando colaboración. Obtuve una prolija respuesta. La lectura de esas cartas me ayudó a formular preguntas y a configurar una visión más amplia del personaje. Mi deseo original era incluir todas esos documentos en este capítulo, pero su número y extensión me han obligado a hacer una selección (la cual no deja de estar a salvo de mi propia subjetividad). Confieso que me hubiera gustado recibir y publicar algunas opiniones negativas -que sin duda existen- sobre Eduardo Bonnín, pues ello contribuiría a crear una visión más amplia sobre su persona y su obra. En el cedazo que utilicé no intervinieron criterios de amplitud ni de calidad formal, procuré concentrarme en aquellos textos que expresaran deforma nítida aspectos de Eduardo Bonnín que, por recurrentes, terminaron siendo universales. Quiero dejar constancia de la utilidad que tuvieron para mí todas y cada una de las cartas recibidas; también, de sincero agradecimiento hacia todos aquellos que respondieron tan profusamente a mi petición de ayuda. Y pido disculpas a las personas que por motivos de espacio- se han visto privadas de ver publicadas sus interesantes vivencias y opiniones.*

Hablar de Eduardo Bonnín me supone tener que expresar una evidencia, una influencia y una mentalidad, pero sobre todo hablar de Eduardo es hablar de amistad. Nunca podré en unos diarios o memorias obviar su presencia, pues además de estar en la lista de personas importantes en mi vida desde hace doce años, cuando solamente he cumplido veintisiete, todo lector puede intuir las cosas que voy a decir. No soy amigo del halago ni del vituperio, por eso no me sale del alma llenar de calificativos que muestren su virtud en un libro sobre su persona. Se perdone mi falta de capacidad para objetivar o describir lo que es para mí un amigo y un punto de referencia. En estos momentos, cuando me pongo a escribir estas palabras, me evoca la sabiduría que dice que para saber si alguien está enamorado, no le hagas preguntas sobre el sujeto amado sino mírale los ojos cuando le nombra. Igualmente un amigo es un amigo y nada más, pues desde el año 1987 en que le conocí, la reciprocidad fulgurante me llenó de interés y aquí estoy.

Lo primero y lo último ha sido Roma. En febrero del 87 empecé a frecuentar la Ultreya de Palma de Mallorca y en mayo hacía el Cursillo, cuando tenía tan sólo quince años.

Al mes di mi rollo en la Ultreya recién llegado de Roma de donde le traje una pequeña cruz de mi turismo vaticano que todavía preside su escritorio. Y siendo él uno de los pocos padrinos de confirmación ocupados en la fe de su confirmado, me abrí con la inocencia y la pasión, todo lo que puede otorgar la adolescencia, a un mundo de misterio que me instigó, por encima, aunque no exclusivamente, de otros gustos y preferencias, y me llevó al diálogo sobre los grandes hechos de apóstoles cursillistas. Eduardo me habla de grandes protagonistas en Mallorca comoToni Darder, Almendro, Juan Moncadas, Xisco Forteza, Bernat Petró, Mayte, Damián, y fuera de Mallorca Toño Punyed, Carlos Mántica, Senen, Ordóñez...

No fueron vanas mil anécdotas que me hicieron descubrir que los Cursillos de Cristiandad, no están llamados como tales a una mística profunda. Hoy pienso que Cursillos pretende desde su esencia no ser una pecera sino un trozo de mar, y que los cursillistas son o quieren ser «apóstoles de trinchera» cuya personalidad y convicción de su opción por Cristo y conexión con las habilidades de la Gracia se colocan desde su incardinación ambiental en la posición que haga posible el contagio, muchas veces inconsciente y hasta involuntario, pues fueron conquistados por el descubrimiento de la cercanía y normalidad de un Cristo Vivo, Resucitado.

El efecto «osmótico» llega donde no logra la prudencia formativa hincar sus raíces y provocar el proceso cristiano. Cursillos es kerygma porque es primer anuncio «a los alejados» que no han conocido a Dios o porque fueron llevados a la fe al mismo tiempo que a la superstición y al oscurantismo religioso, lo que les provocó el abandono de toda práctica religiosa sin rechazar toda idea de Dios.

Cursillos como movimiento sigue un método que va dejando de ser estrategia para pasar a ser posibilidad de testimonio, los Cursillos son una cátedra de testimonio, y consiguen, sin pretensión teológica, que el libre fluir personal topado con el amor de Dios oriente de forma constante la existencia como camino, como verdad y como vida, siguiendo a Jesucristo en su comportamiento como forma y contenido de plenitud y fecundidad de esta vida, culminando así la posibilidad humana. Luego la continuidad práctica conducirá a cada uno según sus aptitudes y sus actitudes a una fe profunda enrolándose cada uno en la órbita de Dios.

Cada semana, de una forma u otra tenía contacto con Eduardo y con el paso de los acontecimientos empecé a hacerme con la Historia de este movimiento, desde dentro con los mismos seglares que habían esculpido la cuna, y desde fuera con algunos sacerdotes «bienorientados» por una pastoral de conjunto que valoraban Cursillos como instrumento. Hete aquí una primera tensión conocida por mí y que me provocó interés por conocer el movimiento volviendo a las fuentes.

Los Cursillos nacieron en agosto de 1944 pero el número uno y oficial de la diócesis de Mallorca fue en enero de 1949.

No aceptar Eduardo firmar un documento espiscopal que le hacía reconocer que los Cursillos empezaron en el 49 fruto de una pastoral, ha servido en Mallorca durante cincuenta años para crear una tensión insuficiente que, a mi juicio, ha servido para preservar la naturaleza seglar del Movimiento de Cursillos, constituido como tal antes del Vaticano II, mal entendida por muchos y que ha privado por eso mismo a dicho movimiento de ser un cauce más abundante de evangelio presente en la sociedad actual.

Eduardo ha tenido la imagen de infranqueable y contumaz en las exigencias de llevar a cabo un método, que debía ser movido con los hilos de la amistad en detrimento de otro tipo de estrategias evangelizadoras. Así «hacerse amigos para hacerlos amigos de Cristo», más que invitarles a un activismo social, a un estudio teológico o a una práctica religiosa. Todo aquello vendrá después como necesidad. Pero a nadie hay que sacarlo de su costumbre de atender a la familia, al trabajo, a la relación social y al ocio, sino convertir su forma de atender, haciendo de la gracia un modo de orientarse y actuar desde un despertar a la perspectiva divina.

Luego es cuando de verdad se encarna lo pretendido. Cursillos son como una especie de «pacto secreto» con el Padre de todos, que parte de la vivencia jubilosa y se desarrolla intrincado en la normal realidad cotidiana. Es como una especie de Sacramento que le pone a Cristo un traje de funcionario, de agricultor, de científico o de deportista y realiza cada día una ruta al lugar de ocupación y de regreso a la familia y que brota y se descubre en cualquier circunstancia, en cualquier comportamiento o reacción, o en cualquier intervención. Es otra forma de sentirse Iglesia por la que Cursillos opta, más acá de su organización, aunque dentro de la Diócesis como universal presencia de Jesucristo.

Para mí esta discrepancia carece hoy de total interés y creo inútil invitar a seglares y sacerdotes a enzarzarse en batalllas pírricas para intentar definir o determinar la autoría o coautoría del Movimiento de Cursillos de Cristiandad, máxime cuando hoy por hoy sigue siendo un instrumento vivo en el cual hay sacerdotes en Mallorca que están tomando su participación de lleno, sacerdotes algunos que ayudaron con su dedicación, apoyo y ciencia a otorgar el nervio teológico que constituyó el respaldo argumental de todo testimonio en Cursillos. «Magnífica cosa es la de convivir sacerdotes y seglares en Cursillos porque aprenden y se complementan en la labor apostólica», ha dicho don Mario Cascone, en el 30 aniversario de Cursillos en la Diócesis de Roma, presente consiliario nacional de Italia ocupado actualmente en el discurso del Papa Juan Pablo II en la Ultreya mundial del 29 de julio de 2000 en la Plaza de San Pedro del Vaticano.

Lo que sí tiene un sentido candente, es reorientar la esencia y la finalidad de este bendito movimiento a la luz de su Carisma Fundacional que hoy cuenta con millones de participantes en todo el

sillos mixtos en un intento de «modernización», idea que se sospecha, nació de la falta de convocatoria para la realización de Cursillos (3 días), motivo por el que los mallorquines abandonaron el Secretariado Nacional (no vamos aquí a concretar), se entiende que el encuentro personal halla importantes dificultades cuando se participa en matrimonio, en pareja o especialmente cuando se encuentra el Cursillo en momentos óptimos para confundir el sentimiento con la sensibilidad. La casuística guarda la eficacia probada.

Eduardo ha participado tanto en el ámbito doméstico como institucional en casi todos los países del mundo donde hay Cursillos. Su presencia ha sido siempre muy destacada en México, país cuyo mérito histórico fue el de la constitución del primer Secretariado Nacional del mundo. También en Estados Unidos, en que fueron mallorquines los que iniaron en Texas los Cursillos. Precisamente la ciudad de Los Ángeles fue mi primera salida internacional, en octubre de 1995 fuimos a la celebración de la Ultreya de la Región XI en la que participaron 7.000 personas. Juan y Conchita Ruiz, presidentes del Secretariado Diocesano de Los Ángeles junto con el padre Modesto que habían participado en Mallorca, nos invitaron y nos hospedaron y junto con nosotros estuvieron también participando el matrimonio salvadoreño de Toño y Mª Teresa Punyed, que tuvieron una magnífica actuación. En aquel viaje, yo descubrí muchas cosas además de la tierra americana. Empecé a entender que no sólo Eduardo era un personaje conocido en medio mundo, sino que el Movimiento de Cursillos tenía vocación de Universalidad. A partir de entonces empecé una doble carrera en el tiempo. Hacia atrás en la tarea de conocer la Historia y recordar ya de forma más contrastada todas las cosas que me contaba Eduardo cuando regresaba de todos los viajes durante los nueve años anteriores y del conjunto de su itinerario a lo largo de todo el globo.

Poco digo si nombro su mera participación en países como China, Japón, Australia, Corea, el continente americano desde Canadá hasta Chile y Argentina, pasando por toda la América Central. En África Central alguna vez y en Europa de toma especial en Italia, en Inglaterra y Portugal. Si en tantos lugares y tan diversos ha proliferado el MCC y de tal importancia ha sido que obispos, cardenales y nuncios participan en cualquier convocatoria cursillista es que arraiga donde arraiga la Iglesia y también, por qué no decirlo, donde no arraiga. Así en algunos países orientales los Cursillos de Cristiandad quieren ser Iglesia y se sienten Iglesia, y queriéndolo ser la hacen, porque persiguen la presencia de Cristo en el mundo. Su objetivo no son las estructuras sino las personas que intervienen en ellas. Los Cursillos son de la Iglesia para el mundo. Son el Evangelio para la persona. Son vida en Cristo para la salvación presente. Son Cristo a sólo tres días de cada hombre y mujer que tenga conciencia de sí mismo en cualquier lugar de la faz de la tierra. Son la cara de la alegría del Evangelio en la superación del oscurantismo y del temor a Dios aterrizada en el vivir cotidiano de cualquier coyuntura y en cualquier lugar. Los cursillos hacen llegar la Resurrección de Cristo a los pies de la normalidad diaria y consiguen conectar la conciencia de salvación a cada esfuerzo de solución que para vivir se hace imprescindible, siendo sólo un movimiento cristiano más.

Eduardo ha viajado mucho. Y viajando con él, hago también un camino hacia delante. Para mis adentros crece la idea de que Cursillos en mi Diócesis tiene que volverse a valer de toda la potencia eclesial de la que deben participar. Y una nueva convivencia entre sacerdotes y seglares debe colocar este Movimiento a la altura de sus fundacionales intenciones.

Con esta tesis y viviendo yo en Madrid en donde estudiaba tercero de Derecho fundamos la revista *Manantial,* donde intentamos establecer una plataforma de expresión de algo de todo este carisma, dada la conciencia de que en la sociedad mallorquina en particular, al igual que la europea en general, existimos la juventud bajo las promesas del avance y el bienestar, axiológicamente desorientados y moralmente desarraigados, incursos en una maraña de cambios y acontecimientos como consecuencia del titubeo que nos han contagiado nuestros predecesores acerca de sus valores. Una religiosidad sin fe, una moral sin convicción y una política sin altruismo constituyen el terreno devastado sobre el que se hace necesaria y posible la siembra de mundos futuros.

Con esta revista queremos expresar en fin, prescindiendo del arrebato adolescente, que Jesucristo es el punto de referencia y el Evangelio el arma de actualización, abandonada la idea de que su renuncia conlleva el progreso. El comportamiento evangélico y su vivencia que en Cursillos se intenta testimoniar es en lo que algunos, en nuestra más efervescente juventud, tenemos ocupada nuestra intención.

En esta tesitura intraeclesial por un lado y extraeclesial por el otro, marchamos con Eduardo al mayor viaje a Estado Unidos y Centroamérica auspiciados por la organización de Toño Punyed con el que hicimos seis Cursillos de Cursillos (Miami, Guatemala (2), Nicaragua, El Salvador y Honduras), para acabar de nuevo en Los Ángeles en un Encuentro Nacional de los EEUU. Esta ha sido una de las grandes e intensas experiencias de toda mi vida. En ese peregrinaje fue cuando consolidé sobre el poso de mi aprendizaje, el contenido del MCC. Y me di cuenta por primera vez que Mallorca, aun pasados cincuenta años de haber iniciado los Cursillos como movimiento sigue siendo todavía un punto de referencia en el que se busca la legitimad del nervio ideológico de Cursillos, encarnado especialmente en la persona de Eduardo Bonnín, padre del primer rollo cursillista *El Estudio del Ambiente,* y de otros tantos, inclusive *El Cursillista más allá del Cursillo* catalogado por teólogos como el que está más en línea con el Concilio Vaticano II. Por supuesto Eduardo no fue a ninguno de estos lugares por primera vez. En todos ya había llegado en otras y varias ocasiones. En cualquier casa me enseñan, como si de una parte del protocolo se tratara, una fotografía de su última estancia en el lugar. En un lugar hace diez años en otro hace veinte y en algunos hasta treinta. Con todo sus amistades arraigadas nos ofrecen un trato familiar y extraordinario. Una de las tribunas donde uno puede ver espectáculos secretos provocados por su persona y que para mí han constituido el más impresionante de los testimonios crusillistas, es cuando sentados en un sofá de una habitación mexicana, guatemalteca, cubana (de Miami), salvadoreña o australiana, el padre o la madre de una familia resumen en brava espontaneidad, los logros conseguidos en su familia o en su ambiente gracias a la asistencia a un Cursillo, como punto de inflexión en su vida y de cómo han cambiado las cosas en su casa desde entonces. Todo ello no me sirve para una admiración embobada, aunque decenas de veces uno no puede contener la inevitable emoción, porque el poder de la siutación vence cualquier capacidad racional y estalla una conclusión interna que uno ve venir en cámara lenta, de una fuerza que no es la suya propia. Dios no sólo es sino que también existe. La santidad es un secreto desconocido y exclusivo de los espíritus más fuertes, más fuertes que la muerte, alimentados desde el más allá de donde saben que pertenecen encaminados a donde saben que van y haciendo de cada paso una providencia.

Con todo ello, la amistad personal con Eduardo llega a su máximo nivel y fruto de la paradójica misma inquietud, desde la diferencia de edad y carácter creamos desde la fuerza natural de la relación, una dinámica de expresión de pensamientos y firmamos en nuestra revista Manantial con el pseudónimo «va bon vent», decíamos entonces, producto del entusiasmo que nos ofrece el hecho de atrevernos a respirar el viento del Espíritu que todos «somos». El Espíritu Santo por el que Cristo se hace presencia acompañante en nuestras vidas. El que sopla y vuelve a colocar a las almas en la contemplación, y admiración de este lugar inquieto que es la vida, en el aprendizaje de la misteriosa armonía de este mundo antes de alcanzar lo definitivo, antes de ser lo eterno.

De aquel viaje centroamericano volví a Mallorca con la convicción conciliadora de que algún día teníamos que volver al Secretariado Nacional con cuya promoción del MCC no nos sentimos identificados, por la contravención palmaria a la intención con la que fueron fundados los Cursillos, siendo también nosotros conscientes de la necesaria actualización. Sólo el diálogo puede hacer recuperar el acercamiento del carisma Fundacional (del que no nos sentimos poseedores, pues sería exclusivo de la definición de Carisma en la Iglesia) a los Cursillos en España.

Un argumento clave es que Cursillos tiene que ser también, por no decir que sobre todo, un movimiento donde los jóvenes han de formar parte. Pues de jóvenes nació y para jóvenes se hizo en un principio. Eso se lo oigo decir en todas partes a Eduardo y por eso también voy con él a los diversos viajes. Las cuestiones del precursillo nos llevan a la afirmación de que a cursillos tiene que ir quien tenga personalidad, almas que tengan «sustancia humana» donde pueda hacer efecto la verdad cristiana. En los lugares donde nadie rebaja los cuarenta años prácticamente, el precursillo sólo engancha a heridos por el fracaso o «estirados» por algún magnánimo.

Oigo que se le da la culpa a la sociedad, a la inestabilidad y a la falta de constancia. Pero hay que pensar un poco ¿por qué hacemos Cursillos? Desde luego puede ser vano si sólo sirve para multiplicar las cuentas de los dirigentes. Tantos Cursillos... tantos cursillistas.

Una de las fiestas más bonitas que yo he podido vivir ha sido la Ultreya Nacional de México en Monterrey. Un estadio con 25.000 personas supuso, a pesar de mi participación, el día de más de colores de toda mi vida.

En ella, como en otras anteriores mexicanas, Eduardo participa y su presencia es la más aclamada. ¿Qué se puede decir al que tienes a tu lado cuando a él se dirigen miles de miradas, miles de personas, miles de fotografías, miles de autógrafos, miles de bendiciones, miles de miradas limpias serenas sin desatarse por la euforia de la multitud...? Lo que tiene de privilegio es tan sólo una ilusión óptica y cada saludo un punto para la paz del alma. Ver tanto en tan poco, supone una dosis importante en el equilibrio emocional para los días en que uno tiene que cumplir con su deber.

Son incalculables todos los beneficios que me han supuesto

Secretariado Nacional con cuya promoción del MCC no nos sentimos identificados, por la contravención palmaria a la intención con la que fueron fundados los Cursillos, siendo también nosotros conscientes de la necesaria actualización. Sólo el diálogo puede hacer recuperar el acercamiento del carisma Fundacional (del que no nos sentimos poseedores, pues sería exclusivo de la definición de Carisma en la Iglesia) a los Cursillos en España.

Un argumento clave es que Cursillos tiene que ser también, por no decir que sobre todo, un movimiento donde los jóvenes han de formar parte. Pues de jóvenes nació y para jóvenes se hizo en un principio. Eso se lo oigo decir en todas partes a Eduardo y por eso también voy con él a los diversos viajes. Las cuestiones del precursillo nos llevan a la afirmación de que a cursillos tiene que ir quien tenga personalidad, almas que tengan «sustancia humana» donde pueda hacer efecto la verdad cristiana. En los lugares donde nadie rebaja los cuarenta años prácticamente, el precursillo sólo engancha a heridos por el fracaso o «estirados» por algún magnánimo.

Oigo que se le da la culpa a la sociedad, a la inestabilidad y a la falta de constancia. Pero hay que pensar un poco ¿por qué hacemos Cursillos? Desde luego puede ser vano si sólo sirve para multiplicar las cuentas de los dirigentes. Tantos Cursillos... tantos cursillistas.

Una de las fiestas más bonitas que yo he podido vivir ha sido la Ultreya Nacional de México en Monterrey. Un estadio con 25.000 personas supuso, a pesar de mi participación, el día de más de colores de toda mi vida.

En ella, como en otras anteriores mexicanas, Eduardo participa y su presencia es la más aclamada. ¿Qué se puede decir al que tienes a tu lado cuando a él se dirigen miles de miradas, miles de personas, miles de fotografías, miles de autógrafos, miles de bendiciones, miles de miradas limpias serenas sin desatarse por la euforia de la multitud...? Lo que tiene de privilegio es tan sólo una ilusión óptica y cada saludo un punto para la paz del alma. Ver tanto en tan poco, supone una dosis importante en el equilibrio emocional para los días en que uno tiene que cumplir con su deber.

Son incalculables todos los beneficios que me han supuesto acompañar a Eduardo a todos sitios.

Convivir con Eduardo es vivir en un régimen de humildad e inocencia. Es hablar con el principito de Saint-Exupery e instalar el deseo en el mismo lugar donde normalmente reside el orgullo. «No conozco a nadie que le haya decepcionado Jesucristo» me dice y me deshace toda teoría, inundada por una intención de amor que influye si uno no la tiene. La sabiduría le evita herir y por eso es capaz de convertir, ofrece su amistad fiel con la misma facilidad que uno ofrece un favor. Pero quien le contradice en su pensamiento cursillista, se encuentra una «guardia suiza» en las puertas de su criterio y se produce una diferencia entre los que no se atreven a entrar porque piensan haber desarrollado toda deliberación posible, y los que sí se atreven y como consecuencia se ven sorprendidos por un museo de anécdotas y pensamientos en los que uno, lejos de sentirse amenazado, aprende con una atención infantil. Tras un tiempo de haber escuchado como interlocutor me sorprendo a mi mismo cuando me veo en un estado mental parecido a cuando aprendía las cosas más básicas de mi vida. Cuántas veces he sentido que la dinámica de la decuria en un Cursillo es la misma que la que hacía en preescolar. Renace el niño que murió en mí para hacerme hombre de ilusión y plasmo en la cartulina blanca el rollo de Ideal con el mismo gusto de fresa que las piruletas que compré en la feria del colegio. Hago amigos haciendo dibujitos con lápices de colores y sentado en un pupitre cuento mi vida y mi ideal. En las ideas del Cursillo, por el ideal se entra soñando lo que puede llegar a ser verdad con Cristo. El alma se me convierte junto a Eduardo, porque lo que pasa cada día se troca en una oportunidad de vivir la propia fantasía despertando de un sueño frío en el que vivo instalado por la pretensión del bienestar o del conformismo. Me muestra el cariño como Walt Disney con gestos y cuentos. La realidad es mucho más bonita de lo que nos podemos imaginar, donde la magia es la gracia y la paloma el despertar al mundo del detalle. Los detalles son un proceso de atención al prójimo. Obsequiar con atenciones es dar vida a las cosas buenas que uno tiene dentro. Me impresiona de Eduardo su intención de rezarle a Santa María del detalle, del detalle bonito, del detalle oportuno, del detalle certero... porque el detalle cuenta poco y consigue mucho. Nadie es tan pobre como para no poderlo tener ni tan rico como para no poderlo recibir.

Juntos gozamos de una canción escrita por un hombre de campo nicaragüense:

*¡Qué detalle Señor has tenido conmigo!*
*Cuando me elegiste*
*Cuando me llamaste*
*Cuando me dijiste que tú eras mi amigo*
*¡Qué detalle Señor has tenido conmigo!*

Estas y muchas otras cosas más son la Historia de una amistad,

## Así vi y así veo a Eduardo

Ignoro qué criterio ha guiado a los promotores de esa obra, al sugerir que mi nombre figure entre los colaboradores. Sospecho si será en virtud de la llamada ley de los contrastes, condensada en aquel axioma que nos inculcaban nuestros profesores de latín para enseñarnos a componer la frase con corrección y elegancia: «Opposita iuxta se posita magis elucescunt». En efecto, un desconocido va a hablar de alguien de renombre universal. Quien jamás pasó de aprendiz, tiene que ocuparse de un hombre aclamado como maestro por un sinnúmero de adeptos y simpatizantes... Y, sin embargo, aun pareciéndome descabellada la idea, acepté al fin la propuesta, porque considero que se ha escrito muy mucho sobre los Cursillos de Cristiandad, y bien poco acerca de quien fue su principal artífice. Y porque de esta suerte, con mi modesta aportación, intentaré pagar parte de la deuda de gratitud que con él tengo contraída.

Conocí a Eduardo hace muchísimos años. Fue en la década de los cuarenta. Me hallaba estudiando en la Facultad de Teología del Seminario de Mallorca, y hasta ahí llegaban los ecos de un viento de renovación cristiana que soplaba recio en valles y montes, impulsado por un puñado de jóvenes de Acción Católica que encabezaba un tal Eduardo Bonnín. Alborotaban las tranquilas aguas de la piedad isleña y eran motivo de preocupación por parte de algunos pastores de almas. Crecían de día en día los rumores acerca de esos jóvenes inconformistas, a tal punto que despertaron nuestra curiosidad por ver de cerca a quien era mirado como líder del grupo. Los Superiores -cosa rara- accedieron a nuestros deseos y, al anochecer

**175**

## Así vi y así veo a Eduardo

Ignoro qué criterio ha guiado a los promotores de esa obra, al sugerir que mi nombre figure entre los colaboradores. Sospecho si será en virtud de la llamada ley de los contrastes, condensada en aquel axioma que nos inculcaban nuestros profesores de latín para enseñarnos a componer la frase con corrección y elegancia: «Opposita iuxta se posita magis elucescunt». En efecto, un desconocido va a hablar de alguien de renombre universal. Quien jamás pasó de aprendiz, tiene que ocuparse de un hombre aclamado como maestro por un sinnúmero de adeptos y simpatizantes... Y, sin embargo, aun pareciéndome descabellada la idea, acepté al fin la propuesta, porque considero que se ha escrito muy mucho sobre los Cursillos de Cristiandad, y bien poco acerca de quien fue su principal artífice. Y porque de esta suerte, con mi modesta aportación, intentaré pagar parte de la deuda de gratitud que con él tengo contraída.

Conocí a Eduardo hace muchísimos años. Fue en la década de los cuarenta. Me hallaba estudiando en la Facultad de Teología del Seminario de Mallorca, y hasta ahí llegaban los ecos de un viento de renovación cristiana que soplaba recio en valles y montes, impulsado por un puñado de jóvenes de Acción Católica que encabezaba un tal Eduardo Bonnín. Alborotaban las tranquilas aguas de la piedad isleña y eran motivo de preocupación por parte de algunos pastores de almas. Crecían de día en día los rumores acerca de esos jóvenes inconformistas, a tal punto que despertaron nuestra curiosidad por ver de cerca a quien era mirado como líder del grupo. Los Superiores -cosa rara- accedieron a nuestros deseos y, al anochecer del 8 de diciembre de 1945, fiesta de la Inmaculada Concepción, Eduardo vino al Seminario para hablar a los alumnos de Filosofía y Teología. Las incidencias de ese acto las he narrado en la última Hora del 25 de octubre de 1998. No voy a repetirme.

Por algo se ha dicho: «Non bis in idem». Sólo recordaré que, a juzgar por los comentarios oídos, la conferencia gustó sobremanera, gracias al estilo personal del autor, entreverado de chocantes paradojas, antítesis y retruécanos. Aquella noche, en el «corredor fosc», donde tuvo lugar la charla, nació mi admiración por aquel joven audaz y franco, que no se paraba en barras a la hora de denunciar los defectos de la Acción Católica Balear.

En el otoño de 1949, siendo coadjutor de Algaida, asistí al sexto Cursillo de Cristiandad celebrado en Montisión de Porreres, con Eduardo como Rector. Allí, en aquellos tres días de grata convivencia -del 15 al 18 de octubre- descubrí la auténtica talla de Eduardo: su talento, sus dotes personales, su visión de futuro. No tardé en percatarme de que el joven que yo había entrevisto en la penumbra del «corredor fosc des Seminari Vell», la noche de la Inmaculada, visto ya a plena luz, pertenecía al corto número de seres privilegiados a quienes el P. Sigüenza llama «hombres providenciales», venidos a este mundo con una misión que cumplir. Abren camino, pisan fuerte y dejan huella por donde transitan. Prescindo ahora de la adjetivación que a tales seres aplican Carlyle y Emerson, entre otros. Me basta con la del monje jerónimo, escritor muy del agrado de Unamuno.

Me asombraba su facilidad de palabra y agudeza mental, su claridad expositiva, su capacidad para sintonizar con el oyente y lograr que éste se sintiera interpelado. Eduardo era y es un gran comunicador. No es un lenguaje abstracto el suyo. Va siempre ilustrado con símiles, chistes e historietas, y sazonado a la par con gotas de buen humor. No se dirige a una parte sola del interlocutor, sino al conjunto de sus facultades: intelecto, imaginación, sentimiento, voluntad. Por eso convence, conmueve, y persuade. Algunas de sus frases, por lo agudas y certeras, se clavan como alfileres en el alma. ¡Cuán admirable es su habilidad para provocar el hambre de Dios y de las realidades trascendentes! Posee asimismo una sin igual destreza cuando se trata de reclutar adeptos a favor de la causa que defiende, pues su sentido de comunidad y de grupo es muy fuerte. Da sin esperanza de recibir y se da sin exigir correspondencia. Dice lo que siente y vive lo que dice. De ahí, la fuerza de su discurso y la clave de su éxito, porque solamente el pensamiento vivido tiene valor, según nos enseñó hace tiempo Hermann Hesse en *Demián*.

Desde el referido Cursillo, fueron frecuentes mis contactos con él. Aprovechaba mis idas a Palma para verlo y conversar un rato en la calle Sindicato 165, de inolvidable recuerdo. Poco a poco se me iban revelando aspectos casi desconocidos de su personalidad, pongo por caso, su pasión por la lectura. Era y es un buen catador de autores y de libros. El fue quien me introdujo en el mundo de León Bloy y sus ahijados Jacques y Raissa Maritain, de los Papini, Claudel, Mauriac, Peguy, Bernanos, Julien Green..., todos testigos de lo invisible, algunos, adelantados del *aggiornamento* que la Iglesia experimentó posteriormente con el Concilio Vaticano II. El que, en la actualidad, estos autores permanezcan en la sombra no les resta un ápice de su valor. Sólo evidencia la banalidad del momento que vivimos. Volverán, sin duda, a los escaparates de las librerías cuando empiece a decrecer la marea de mal gusto que nos invade y atosiga.

No vive vida de hombre sino el que sabe, ha escrito Gracián. Y añade en *El Criticón*: «Advertid que por una de cuatro cosas llega un hombre a saber mucho: o por haber vivido muchos años, o por haber caminado muchas tierras, o por haber leído muchos y buenos libros, que es más fácil, o por haber conversado con amigos sabios y discretos, que es más gustoso». Cualquiera que conozca a Eduardo ha de reconocer que en él se dan las cuatro condiciones exigidas por el jesuita aragonés: larga vida, viajero infatigable, lector empedernido, alguien que cultiva y entiende la amistad como una especie de octavo sacramento.

Yo venía de un centro de estudios eclesiásticos superiores, cuyos catedráticos pensaban de buena fe que todo o casi todo estaba dicho con los Santos Padres, Agustín, Tomás de Aquino, Cayetano, Belarmino... Que después de ellos ya nada nuevo que valiera la pena se podía aprender. Gracias a esos encuentros a que me estoy refiriendo, mi horizonte cultural se fue ensanchando. Se trata de escritores-teólogos, en el mejor sentido del término, que, por ser laicos y estar inmersos en las realidades cotidianas e inmediatas de la vida, saben convertir en arte literario sus vivencias y ahondar en los problemas de orden religioso que afectan al hombre contemporáneo. El aprecio y estima de dichos autores y de quien me los dio a conocer, han permanecido intactos a lo largo de mi existencia. Los he leído con fruición y provecho. A causa de mis viajes de ida y vuelta a Ultramar y de la escasez de espacio que padecemos hoy todos cuantos practicamos el noble deporte de la lectura, he debido desprenderme de un buen número de libros. Siempre, empero, he reservado un lugar de preferencia a los antes indicados autores y, en particular, a *Las grandes amistades* de Raissa Maritain, tan recomendado en su día por Eduardo. Del cual creo poder afirmar lo que escribe Menéndez Pelayo en su *Epístola a Horacio: «Yo* guardo con amor un libro viejo». Sí, lo guardo con cariño, lo quiero, pues su sola presencia en mis estantes evoca una época fructífera en el campo intelectual.

A fines de 1952, salí para Sudamérica, con permiso del Obispo Hervás. Desde aquel lejano y memorable año, he andado muchos caminos y atracado en cien riberas, como dice el poeta, pero mi relación amistosa con Eduardo no ha sufrido la menor alteración. Debo confesar que una de mis mayores satisfacciones, a fuer de mallorquín, durante mi permanencia en el Nuevo Mundo, ha sido poder escuchar de labios de mis interlocutores el elogio de nuestra Isla, no por razón de su sol, clima, paisaje, sobrasada o ensaimada, sino por haber sido la cuna de los Cursillos de Cristiandad. Y añadiré algo que honra a cualquier corresponsal, máxime a quien como él anda siempre sobrecargado de trabajo: Ninguna carta mía quedó jamás sin respuesta. Verdad es que solamente le he escrito cuando necesitaba de alguna orientación bibliográfica, pues consideraba casi un robo quitarle un tiempo que yo sabía de cierto iba él a emplear en tareas de mayor momento.

Mi *Diario de un emigrante,* todavía inédito, es el mejor testimonio de lo que estoy indicando. Se trata de notas sencillas, escritas sin pretensión alguna, a miles de kilómetros de Mallorca, cuando quien las redactaba ignoraba si volvería algún día a verse con Eduardo. No quiero cansar al lector con un chaparrón de citas. Bastarán una pocas para confirmar lo dicho con algunos ejemplos a la manera del P Rodríguez, de la Compañía de Jesús, en su *Ejercicio de Perfección.*

*Buenos Aires (Argentina), 21 de noviembre de 1952. Compro los «Diarios» de León Bloy, de la editorial Nuevo Mundo.*

*Arequipa (Perú), 30 de noviembre de 1952. Leo en «El Comercio», de Lima, que Azorín ha decidido retirarse del campo de las letras porque «es tan difícil escribir». Me entero también de que el premio Nobel de Literatura 1952, ha recaído en la persona de Fran~ois Mauriac, por su penetrante conocimiento del alma humana. Mauriac tiene en Mallorca sus admiradores, particularmente entre los dirigentes de los Cursillos de Cristiandad, Eduardo Bonnín y demás.*

*Huaraz (Perú), 1 de enero de 1953. Termino la lectura de «En el umbral del Apocalipsis», de León Bloy. Del mismo autor leí el pasado diciembre «Mi diario» y «Cartas a Maritain y Van der Meer». Conozco a Bloy merced a las recomendaciones de Eduardo*

*Bonnín y de mi colega Juan Servera el Viejo. Es un escritor que, haciendo honor a su nombre, ruge y vocifera, cual león iracundo, contra todo cuanto huele a hipocresía y convencionalismo en nuestra vida de cristianos. Aborrece las medias tintas y no sabe de posturas acomodaticias. Su madre era española.*

*Lima (Perú), 1 de enero de 1954. Escribo a mi condiscípulo Jaime Cabrer, ahora párroco de Andratx (Mallorca). Le animo a mandar jóvenes a los Cursillos de Cristiandad, que tan buenos resultados están dando en América y que constituyen una de las glorias más legítimas de Mallorca, pues ahí nacieron.*

No quiero poner fin a este ramillete de recuerdos y vivencias, sin expresar mis deseos de que el Señor nos conserve por muchos años a Eduardo. Hay personas que solamente rinden frutos en un determinado periodo de existencia. No es éste el caso de nuestro amigo y compañero. Con gran sorpresa de todos, sigue donde ha estado siempre: firme contra viento y marea, fiel a sí mismo y sus raíces, inamovible en su genuina concepción de los Cursillos, a los que quiere como a la niña de sus ojos, por los que vive y se desvive, y que, a no dudarlo, representan el sueño dorado de su vida. Esta firmeza y fidelidad a unos principios, se paga caro en una sociedad elástica como la nuestra. El precio que por ello ha debido de pagar, podemos barruntarlo nosotros, mas únicamente él lo conoce en realidad.

Yo veo a Eduardo sustancialmente idéntico al joven que conocí en Montisión de Porreres aquel otoño de 1949: el mismo talante, las mismas dotes de liderazgo, la misma visión esperanzada de futuro, con ideas claras y distintas respecto al fin que persigue y los medios adecuados para alcanzarlo. Sincero a carta cabal, codicioso de saber, luchador incansable, optimista sobre el resultado final, libre con la libertad de los hijos de Dios, esclavo no más que de la verdad, original en hechos y palabras. Mi amigo desmiente aquel viejo apotegma, según el cual todos nacemos originales; con el paso del tiempo, sin embargo, la mayoría nos volvemos copias y como tales morimos.

Finalmente, en él parece cumplirse lo que el salmo 91 augura a ciertos varones justos, los cuales aun en edad avanzada seguirán dando fruto y conservarán su verdor y lozanía.

Quienes seguimos de cerca su trayectoria vital, nos preguntamos a veces cómo puede un hombre a su edad llevar semejante tren de vida, leer tantos libros, despachar una

E duardo es un personaje que vive y sueña en los Cursillos de Cristiandad. Al lado suyo, les dieron impulso otros, como el doctor Hervás y Juan Capó, pero sin él no existirían, son una genialidad suya.

Ha tenido que sufrir mucho, pero nunca se ha dado por vencido; es un personaje incansable y único. Es más fácil admirarle que imitarle.

A su lado, en los orígenes, y durante largos años, merece ser recordado el impulso del Obispo doctor Hervás y del sacerdote don Juan Capó. Al primero se debe el nombre, y la primera aprobación jerárquica que convertía los Cursillos de Cristiandad en movimiento eclesial en Mallorca, donde nacieron.

Don Juan Capó, cursados sus estudios en Roma, puso su saber y entender y su entusiasmo al servicio de los Cursillos de Cristiandad. Los tres sufrieron por la incomprensión de no pocos en aquellos años. Estas tres personas, estos tres hombres deben figurar en justicia, cada uno a su manera y con su influencia específica, en la historia de este movimiento. Creo que estos tres hombres representan a tantos seglares y sacerdotes que desde los primeros años trabajaron generosamente en los Cursillos de Cristiandad.

Si hay que citar estas tres personas en la Historia del método y movimiento de los Cursillos de Cristiandad, no es sólo a título de justicia y para ser fieles a la verdad. En el presente y en el futuro, para los Dirigentes e instituciones internacionales, nacionales y diocesanas, el pensamiento, la mentalidad y los escritos del Obispo Hervás, de don Juan Capó y Eduardo Bonnín son y serán la garantía de la obligada fidelidad al carisma fundacional, a la inmutable esencia y finalidad de los Cursillos de Cristiandad.

**E**duardo es un personaje que vive y sueña en los Cursillos de Cristiandad. Al lado suyo, les dieron impulso otros, como el doctor Hervás y Juan Capó, pero sin él no existirían, son una genialidad suya.

Ha tenido que sufrir mucho, pero nunca se ha dado por vencido; es un personaje incansable y único. Es más fácil admirarle que imitarle.

A su lado, en los orígenes, y durante largos años, merece ser recordado el impulso del Obispo doctor Hervás y del sacerdote don Juan Capó. Al primero se debe el nombre, y la primera aprobación jerárquica que convertía los Cursillos de Cristiandad en movimiento eclesial en Mallorca, donde nacieron.

Don Juan Capó, cursados sus estudios en Roma, puso su saber y entender y su entusiasmo al servicio de los Cursillos de Cristiandad. Los tres sufrieron por la incomprensión de no pocos en aquellos años. Estas tres personas, estos tres hombres deben figurar en justicia, cada uno a su manera y con su influencia específica, en la historia de este movimiento. Creo que estos tres hombres representan a tantos seglares y sacerdotes que desde los primeros años trabajaron generosamente en los Cursillos de Cristiandad.

Si hay que citar estas tres personas en la Historia del método y movimiento de los Cursillos de Cristiandad, no es sólo a título de justicia y para ser fieles a la verdad. En el presente y en el futuro, para los Dirigentes e instituciones internacionales, nacionales y diocesanas, el pensamiento, la mentalidad y los escritos del Obispo Hervás, de don Juan Capó y Eduardo Bonnín son y serán la garantía de la obligada fidelidad al carisma fundacional, a la inmutable esencia y finalidad de los Cursillos de Cristiandad.

Sin dicha fidelidad, las pretendidas actualizaciones y cambios bien intencionados pondrían en peligro lo esencial y lo importante, «la siempre antigua y siempre nueva originalidad y eficacia de este método y movimiento». Bajo el mismo nombre debe figurar intacto su ser. Y es bien sabido que lo esencial no está ni puede estar a merced de votos ni mayorías. En buena filosofía las esencias son eternas e inmutables. Y ello no es fundamentalismo ni inmovilismo. De lo que se trata es de salvar lo esencial a la hora de pensar en cambios y adaptaciones.

**P. Francisco Suárez Yúfera**

Cabildo de Catedral. Mallorca.

No es fácil definir a una persona de la categoría de Eduardo Bonnín; más bien es un peligro, un riesgo. El de quedarse corto. El de un posible desenfoque. El de no contar lo sustantivo. Por eso, a ruegos insistentes de su biógrafo, a lo más que me atrevo es a trazar unos rasgos, un apunte sobre el biografiado, sin más pretensiones que la de aproximar la cámara de mis sentimientos a una figura singular y proyectarla, tembloroso, a quienes no han tenido mi misma suerte, la de haberle tratado estos últimos años y compartir su amistad. Serán, pues, flashes que se han ido acumulando en mi retina, relatos cortos que resuenan en mis oídos, una experiencia que te impacta, como a tantos ha impactado este cristiano de excepción.

Lo articularé destacando, sin rigor académico, sus virtudes: La lealtad a toda prueba, la discreción, la exquisita delicadeza, su educación solícita y puntual. Un espíritu de servicio a la Iglesia, incondicional.

Trabajador como pocos, entregado fill time a la causa de Cursillos, que lleva en el alma, como el que los concibió y les dio el hálito vital, les ha nutrido con el alimento de sus ideas y el constante empuje de su entusiasmo siempre renovado.

Gran amigo: No en vano es adalid y vocero de la amistad por el mundo. Hombre que inspira confianza cuando le conoces de cerca. Que te guarda fidelidad. Confidente de muchos. Integro, de una pieza, como nadie. De tesón inquebrantable. Apasionado por saber y por comunicar lo que él antes ha saboreado... en los libros y sobre todo en el gran libro de la vida.

Ordenado y pulcro en sus cosas. Memoria viviente de Cursillos. Referente en todo y de todos, siempre, a todas horas.

Lector empedernido, al día de todo lo eclesial, lo laical, lo cultural. Sorprendente enterado de todas las corrientes -como él diceque corren... Por contar una anécdota, un día que le pregunté, si tenía a mano el Código de Derecho canónico, salió de su despacho y, al momento, me presentó el de 1917 y el de 1983, con naturalidad, sin petulancia alguna.

¿Defectos?: No sé si llamarlos así precisamente, sino claroscuros de su personalidad. Helos: una sabia timidez, rozando la inseguridad, en materias de las que es autodidacta. Poder parecer a algunos frío o distante, por no decir escéptico, cuando su realidad interior es todo lo contrario: rica en el afecto y admiración -activa y pasiva- de montones de gentes, cargada de tantas emociones y recuerdos agradables. Me explico esa imagen irreal debido a que los años y los sufrimientos por la causa que viene defendiendo aquí y fuera de aquí, a lo Pablo Tarso, desde hace más de medio siglo le han enseñado, en vivo y en directo, aquello de que la virtud ha de estar en el medio... y que no se ha de perder la calma ni los nervios.

Otra nota de su carácter es una simpática pillería, que le ha proporcionado su experta humanidad, conocedora de la inconstancia y de las miserias del prójimo, incluido el de los que fueron y ya no son amigos. Le ha llevado a combinar sencillez y cautela, pero con cordialidad; y le equilibra y le hace transmitir equilibrio a los demás. Pues, a pesar de todo, él cree en el hombre.

No le falta una tozudez amable, la de quien conoce las fuentes, los genes, las raíces, el devenir de una criatura que lleva en la mente y en el corazón. La de quien no tolera que nadie tergiverse o manipule o profane un proyecto hecho carne con tanto afán, contra viento y marea. Es parte de su liderazgo carismático, inherente a cualquier fundador... en el ámbito de la misma Iglesia. Lo que, en ocasiones, le ha llevado al ejercicio, respeto de la Jerarquía, de una desobediencia controlada, según su propia expresión.

Y sin que ello sea óbice para conjugar firmeza en lo esencial con un talante de tolerancia y hasta de una cierta progresía en lo accidental y opinable. Él sabe bien que eso es evangélico, pues es la estimación de nova et vetera: conservar las esencias de lo más genuinamente tradicional y armonizarlas con los avances de los nuevos tiempos.

Es inteligente, rayano a veces, en intelectual, aunque no de salón; pensador de finura intuitiva que ha descubierto y acumulado tanto al acervo de Cursillos, por sí mismo y a través de otros. Estos otros han sido, son, casi siempre los libros, en cantidad; sus aliados, a los que trata con esmerado cariño. Eso explica su vasta cultura religiosa; y su divertido buen hacer cuando se pone a jugar con frases o palabras de tantas cosas aprendidas, prodigándose en greguerías, de su cosecha, con que ameniza su entrañable perfil de hábil conversador.

Por último, en los claroscuros creo que debo mencionar, por un lado, su respeto y aprecio, en general, a los sacerdotes, y su entrañable amistad con los que considera que están en su sitio en la Iglesia; pero, al mismo tiempo, se destaca por su calculada distancia y actitud crítica con quienes no han querido entender que los Cursillos son por su naturaleza y orígenes un movimiento neta y prioritariamente laical. De ahí deduce que existan, obviamente, en el campo del apostolado, tensiones y radicalismos entre clérigos y seglares. Es algo -concluye- que pertenece endémicamente a la práctica normalidad de lo eclesial.

**P. Antonio Pérez Ramos**

Palma, Mallorca.

## A Eduardo desde más allá de las estrellas

Fue el 23 de agosto, en sábado, a la salida de la misa vespertina de Santa Clara-cita semanal de un grupo de cursillistas de cristiandad- cuando Jaime Radó se me acercó para decirme algo, muy quedo. Él había venido acompañando y acompañado de un entrañable amigo, de las mismas quintas y curtido en las mismas lides apostólicas, Eduardo Bonnín, a quien respetuosamente le llama aquél «Mestre Eduardo», y cariñosamente, «el ros», aludiendo a cuando éste peinaba rubia cabellera.

Los dos habían reaparecido en escena, la de nuestra comunidad reunida en la plegaria. Marcaban el mismo caminar, lento pero no cansino, «pisando fuerte», a pesar de que uno hacía poco que había perdido a su mujer, tras cincuenta largos años de matrimonio, y el otro, empedernido soltero, «por el reino de los cielos», tenía fresca aún su estancia en un quirófano en el que le habían implantado unos cuantos by-pass al corazón.

Pues bien, salía tan venerable pareja del templo de las Clarisas, de participar en la Eucaristía; es más, de presidir, como dos reconocidas «autoridades» de nuestro movimiento eclesial. En efecto, habían permanecido sentados, como de costumbre, en el banco delantero de la derecha simplemente para seguir mejor la celebración, a causa de la crónica sordera del maestro.

Fue, pues, en ese contexto cuando Jaime me dijo con voz quebrada por la emoción: «Tendrías que hacer un testimonio». -¿Cómo - le repliqué- de qué, para quién?

Mi interlocutor me contestó: «Sería, ya sabes, el testimonio de María... (esta vez la palabra la pronunció despacio, silabeando, muy bajito, con mucho amor) para insertar en el libro que estamos preparando para Eduardo». Y me añadió: «Es que a ella le habría gustado, mejor, a ella le gusta -en presente- aportar su granito al homenaje; y yo creo que tú podrías hacerlo en su nombre».

Le respondí, sin más: «Lo intentaré».

Y para ello se me ha ocurrido imaginarme a María Barceló de Radó, emitiendo desde más allá de las estrellas, siendo yo una antena que capta mensajes de bienaventurados, en la órbita de la comunión de los santos. Así:

Llama la voz de una amiga y admiradora (voz cálida y tocada de buen humor):

*¡Eduardo, ¿me oyes, sobre todo con las entendederas de tu corazón?! Mira, otros años por estas calendas de agosto te solíamos invitar Jaime y yo a Ses Covetes, junto al mar que presume de tener las aguas más transparentes de Mallorca y las playas más limpias, blancas y menudas... Nos agradaba recibirte en nuestra casa, a ti y a tus amigos y amigos nuestros más íntimos. Y hablábamos de muchas cosas, en tono familiar y de tantos proyectos... En Particular; los comentabas tú con tus contertulios. Con Jaime en particular, entusiasta, como pocos, de la Obra que tu lideras y que él secunda con fervor neófito.*

*Yo, mientras tanto, a pesar de llamarme María, hacía el papel de Marta, como en la Betania del Evangelio. Y os preparaba la mesa, en que no podía faltar el arroz, que tanto te gusta, y un buen pescado, traído de Can Pep.*

*Ahora aquello ya pasó para mí. Aquí en el cielo el Señor me ha dicho que no me preocupe más de poner la mesa. Aquí la tengo siempre preparada y me siento a ella con muchos, muchísimos, los cuales ya no creemos porque Le vemos; no esperamos porque Le poseemos; aquí sólo amamos, amamos mucho, total, definitivamente al Amor. Y somos felices, felicísimos.*

*Por cierto que san Pablo, el patrono de Cursillos, nos cuenta personalmente lo que dejó escrito en su carta a los Romanos: Nadie nos podrá apartar de la caridad de Cristo. Algo que también me recuerda aquella canción de la Porciúncula en el Cursillo de Cursillos: Esta alegría no va a pasar.. Y, además, en la dimensión en que me hallo no sólo entiendo, sino que vivo a tope el carisma fundacional de que tanto y tan bien tú hablas. Aquí experimenta uno que Dios le ama.*

*Podría contarte y contaros a Jaime y mis hijos, nietos y demás familiares y amigos, muchas más cosas. Pero, como se dice del cur-*

*sillo, esto no se puede explicar; hay que vivirlo. Y yo lo vivo, por la misericordia infinita de Dios.*

*Eduardo, te mando este breve, mas pienso que sustancioso mensaje, desde el cielo, esperando que también un día -cuando el Padre lo disponga- vengas, vengáis todos a encontrarnos en esta Casa.*

*No os olvidéis que Juan Pablo II, que tanto testimonio dá de Cristo, estos días os ha recordado a la Iglesia itinerante que el cielo no es un lugar físico sino una relación de encuentro, posesión y gozo definitivo con Dios. Esto es verdad. Os lo aseguro, por experiencia propia. Trabaja, en expresión paulina, como buen soldado de Cristo Jesús. Cuídate, no obstante, y cuida de tanta gente que confía en ti, en especial de mi Jaime.*

*Desde la ultreya permanente del cielo, con galas de fiesta mayor un abrazo. De Colores.*

**María.**

**(Por la *transcripción, y* perdón por las licencias teológicas que me he permitido, Antonio Pérez Ramos).**

Palma de Mallorca, 1 de agosto de *1999.*

Es difícil hacer justicia con palabras, a una personalidad tan inspirada, entusiasta y dinámica como la de Eduardo Bonnín. Sus numerosas charlas publicadas, sus artículos y libros, son una rica fuente de información e inspiración para todos los que han tomado responsabilidad en el Movimiento de Cursillos, fuente a la que podemos acudir para beneficio de todos. Pero aún más afortunados somos los que tenemos ocasión de escuchar y conocer a Eduardo en persona en alguno de los Encuentros Internacionales de Cursillos. Es en su manera entusiasta, animada y alegre de presentar sus ideas públicamente, donde su carismática personalidad entra en total erupción. En estos momentos es cuando su profunda relación con Cristo y su entusiasmo para evangelizar los ambientes a través del Movimiento de Cursillos se convierten en un testimonio muy poderoso. Mi primer encuentro con Eduardo Bonnín, que dejó profunda huella en mí, tuvo lugar en Mayo de 1970 en Tlaxcala, México, donde el P. Martín Bialas CP y yo misma éramos los delegados de Alemania para el Encuentro Mundial que culminó con la Segunda Ultreya Mundial de ciudad de México. Todavía guardo en mi mente una imagen muy feliz del Obispo Juan Hervás, Monseñor Sebastián Gayá y Eduardo Bonnín de pie, juntos en el jardín interior del seminario de Tlaxcala, donde nosotros, los delegados, fuimos presentados a ellos.

Pero el recuerdo más vivo que tengo de Eduardo es el del Encuentro Europeo celebrado en Wiesbaden, en abril de 1997. Eduardo nos dio una charla muy importante sobre «Los retos positivos para el Movimiento de Cursillos para hoy y para el futuro». Su carácter humilde y su estilo discreto y amistoso, puede a veces contrastar considerablemente con sus fuertes convicciones, presentadas de manera enérgica y entusiasta. La eventual diferencia de opinión, no es óbice para que en el trato personal Eduardo siga siendo un interlocutor muy atento y amable que trasmite la grata impresión de estar dando a tus pensamientos una seria consideración.

Todos los miembros del equipo de OMCC coincidimos plenamente en que le debemos muchísimo a Eduardo, en su calidad de uno de los principales fundadores del Movimiento de Cursillos.

En su juventud Eduardo respondió generosamente a la llamada del Espíritu Santo y trabajó sin cesar para lo que es ahora el Movimiento de Cursillos de Cristiandad. A veces el camino era duro, pero Eduardo no fue nunca un hombre al que amedrentaran los obstáculos. Esta total entrega y dedicación está hoy cosechando frutos a lo largo y ancho del mundo.

Agradecemos al Señor el que dotara a Eduardo con tan múltiples y diversos dones que enriquecen la vida de nuestro movimiento hasta el día de hoy.

**Frances Ruppert**

**Coordinadora de OMCC**

Alemania.

Desde que yo asistí en 1969 en Taiwan Central al Cursillo número nueve, hasta 1994 le he encontrado en Hsin-Chu, (Taipei) y Chia-Yi de Taiwán, en St. Paul, Minnesota (Estados Unidos), Brisbane (Australia), Seúl (Corea) y en Bangkok (Tailandia) -un total de siete veces-, él ha causado una muy buena impresión sobre mí y sobre todos nosotros, cursillistas chinos de aquí, de Taiwán. Él tiene las virtudes cardinales, virtudes cristianas y, especialmente, la virtud de la humildad y el entusiasmo. Hemos dialogado muy agradablemente sobre las ideas fundamentales del Movimiento de Cursillos. Cada vez que él me contestó alguna pregunta, lo hizo con sus personales experiencias, las cuales aclararon las ideas del Movimiento de Cursillos.

Es un hombre de caridad y la gente puede verle como verdadero discípulo de Jesucristo. Nunca le hemos visto criticar, quejarse, alardear ni darse importancia. Él es realmente un hombre de Dios. Le respetamos y queremos muchísimo, porque es un verdadero cristiano. Ha dedicado su vida al servicio de los Cursillos de Cristiandad, a la Iglesia y a Dios, y ha insistido en vivir lo que él cree, y cree lo que dice.

Nuestro Señor bendiga al hermano Bonnín y el trabajo que él está haciendo.

**Hermano Tom Fei**

Taiwán.

Desde mi cursillo en Creixell (Tarragona); en octubre de 1955 empecé bajo la bendición del Cardenal Benjamín Arriba y Castro y en la Escuela de Dirigentes que nos impartió Mossén Salvador Cabré y el inolvidable Faustino Ascaso las palabras e ideas sobre lo fundamental de aquellos «Titanes» de Mallorca, Monseñor Hervás, don Juan Capó, don Francisco Suárez y del indiscutible iniciador del Movimiento, nuestro querido Eduardo Bonnín. En 1958 salí para El Salvador, donde contraje matrimonio con María Teresa Maten Llort (hija de españoles) y no fue hasta después de unas vacaciones en 1962 cuando pudimos regresar a España; con ello se hizo posible que María Teresa viviera su Cursillo en la Salva del Campo (Tarragona) y también que yo pudiera asistir a tres Cursillos seguidos en Creixell como dirigente. Aquello me sirvió para traerme lo necesario (experiencia y material), para que del 27 al 30 de noviembre de 1962, diéramos comienzo al Primer Cursillo en El Salvador. Como director espiritual, el Padre Inocencio Alas (salvadoreño), que en aquel mismo año visitó Mallorca y de allí lo mandaron a Tarragona para que pudiera tener la experiencia del Cursillo. En 1964 vinieron el Padre Pedro Hernández de México con dos dirigentes seglares y llevamos a cabo el Cursillo número seis; y unos meses después María Teresa (mi esposa) y un refuerzo de señoras del Secretariado Nacional de México, hizo posible el Primer Cursillo de Mujeres en El Salvador. En 1966, durante la Primera Ultreya Mundial en Roma, con mi esposa, motivamos a Eduardo Bonnín para que lleváramos a cabo en El Salvador el Primer Cursillo de Cursillos, con la participación de los seis países centroamericanos (Guatemala, Honduras, Nicaragua, Costa Rica, Panamá y El Salvador). Durante este evento se dio a conocer Carlos Mantica, de Nicaragua. Fue en los Encuentros Mundiales restantes (México, Mallorca y Caracas) y en los Encuentros latinoamericanos en los que participó Eduardo, onde nos hemos sentido identificados con él. Con María Teresa hemos convivido en algunas visitas a nuestros hermanos cursillistas en Mallorca y fue en una de ellas cuando

**193**

vimos salir el primer «disco» de Eduardo, reunidos en el mar en la casita de Jaime Radó, acompañados de Xisco Forteza, Juan Aumatell y otros. En diciembre de 1989 formamos equipo en dos Cursillos de Cursillos vividos en Guatemala, al no poder celebrar uno en El Salvador por la guerra interna en este país. En enero de 1992, con Eduardo y mi esposa María Teresa pudimos realizar el Cursillo de Cursillos en El Salvador con asistencia de Guatemala y Honduras; quisimos de una vez aprovechar la presencia de Eduardo para celebrar la «Ultreya de la Paz», inolvidable y maravilloso.

En 1993 planificamos la visita, una vez más, de Eduardo a Centroamérica y para ello realizamos: Cursillo de Cursillos en San Pedro Sula (Honduras) luego saltamos a El Salvador. Después de la Ultreya del lunes en la noche y estando hospedado Eduardo en nuestra casa, en espera de que se comenzara el Encuentro de Dirigentes, tuvimos el gran accidente de nuestro hijo Jaime que permaneció inconsciente, quedando hospitalizado durante unas semanas. En reunión de médicos me sugirieron que viajara con Eduardo al Cursillo de Cursillos a Panamá; quedándose María Teresa (mi esposa) al cuidado de los resultados de nuestro hijo en manos del Señor.

Al llegar a la ciudad de Panamá y cuando nos encontrábamos visitando al Señor Arzobispo, se nos comunicó que mi querida madre, que se encontraba en Tarragona, España, había sufrido un derrame cerebral. Con todas estas «palancas» llevamos a cabo este Cursillo de Cursillos con gran éxito para nuestros hermanos pana-meños. Francisco Forteza junto con el Secretario Diocesano de Mallorca, nos invitaron a María Teresa y a mi para que estuviéramos en agosto de 1994 en el 50 Aniversario de Cursillos y en las primeras conversaciones de Cala Figuera y se me asignó exponer el noveno tema, llamado «normalidad»; allí conocimos a Jesús Valls en su exposición del tema «La Alegría».

En 1995 volvimos a encontrarnos con Eduardo y Jesús en Los Ángeles (USA) como participantes e invitados a la Ultreya Regional, fueron días maravillosos y donde se planificó la idea de que María Teresa y yo llegáramos a Mallorca para el Encuentro Barcelona Mallorca (1996) y expusiéramos un tema cada uno de nosotros (no sé si cuestionamos a los hermanos dirigentes asistentes o fuimos nosotros los cuestionados...).

Al final pude llegar al record, diría mundial, para ver si con el gran esfuerzo quedaban los huesos de Eduardo en Centroamérica... y además demostrar a los dirigentes centroamericanos que Cursillos necesita (sin perder su identidad) sangre joven.

Programamos cinco «Cursillos de Cursillos» con Eduardo, Jesús Valls, María Teresa y yo. En algunos de estos cursillos tuvimos la colaboración del Padre Francisco Fierro y de Meme Roque de El Salvador.

Empezamos del 20 al 23 de junio en Miami, con más de doscientos cincuenta asistentes, del 27 al 30 Guatemala, del 4 al 7 de julio El Salvador, del 11 al 14 Nicaragua y del 19 al 21 en Honduras y el 23 de julio salieron Eduardo y Jesús Valls para Los Ángeles, California, desde El Salvador.

En fin, estas han sido nuestras correrías en las cosas del Señor, donde muy cerca de Eduardo nos hemos sentido identificados con la mentalidad del Movimiento y la Vivencia de la Auténtica Amistad.

Hoy esperamos encontrarnos del 1 al 4 en el Quinto Encuentro Mundial con sede en Seúl (Corea), para dejar definido mundialmente todo lo relacionado al Carisma Fundacional y a los retos expuestos en la actualidad para que Cursillos siga siendo el Movimiento de Iglesia que el Señor espera con la ayuda de sus dirigentes.

Mi amigo, con todo lo expuesto estoy seguro que quedo corto del cariño, admiración... etc., hacia Eduardo, del cual agradezco su amistad y confianza durante estos cuarenta y tres años de mi vida cursillista. Gracias a Cristo y a todos mis hermanos en el Señor. Míos y de María Teresa, mi esposa. De Colores!

**Antonio Punyed**
San Salvador.

# EDUARDO PARA MINUTOS

*Parafraseando el título del libro «Lecturas para minutos»,[1] en el que se recopilan pensamientos extraídos de los libros y cartas de Hermann Hesse, he acudido al bautizo de este último capítulo, con la misma alegría que los escolares visitan las fábricas de perlas de Manacor y ven encantados cómo engarzan unas tras otras en collares. Este es el collar del libro, destellos brillantes de una mente crepuscular que nos ilumina en su hablar cotidiano, perlas que fueron fácilmente extraídas del fondo de su discurso y de su correspondencia. Hesse lo decía: «El aforismo es algo así como una piedra preciosa, que adquiere más valor por su rareza y sólo causa placer en pequeñas dosis». Aquí hay pequeñas dosis de Eduardo, suficientes para iluminar la vida.*

**Imagen tomada en 1999, con el Cristo sonriente que le acompaña en su despacho.**

1) Flesse, Herman: Lecturas para minutos. Alianza Editorial. Madrid, 1975

Soy un aprendiz de cristiano, nada más.

*

Lo cristiano es la culminación de lo posible.

*

Sólo hay que creer lo que no podemos saber.

*

Lo que nos separa de Dios es una duda muy grande y él nos ha puesto en el trance de que tengamos fe en él, que es lo que nos une.

*

La verdad, tarde o temprano, flota siempre por sí misma; no necesita flotadores.

*

Quien no está convencido ya está vencido.

Cada vez que estamos peregrinando hacia la realidad, se multiplica la alegría. Si reconoces que es difícil, encomiéndate a Dios, no a la doctrina.

*

Los amigos han de ser como la sangre, que acude al primer rasguño.

*

La amistad, cuando no hay reciprocidad, engendra poder.

*

Con los amigos del Señor se pierde, pero con el Señor no se pierde nunca.

*

El Evangelio no es un piloto mecánico, no es optar por la virtud, es ir ejerciendo a cada momento la virtud de optar.

*

Lo humano es la conjunción de lo divino.

*

El cristiano hace sinfonía del ruido, porque el Evangelio sitúa todo en su lugar.

*

En Cursillos no expedimos el carné de conducir, expedimos el carnet de conducirse... por la vida.

*

El Cursillo está diseñado para formar cristianos creyentes y a veces nos salen cristianos creídos.

*

Nuestro movimiento precisa de personas que sepan creer, pues ya tenemos muchas que creen saber.

*

Si no lo entiendes es porque no le amas, si le amaras lo comprenderías siempre.

*

Cuando a una persona le pides más de lo que te puede dar, te privas de lo que te puede ofrecer.

*

Cada uno es cada uno y tiene sus *cadaunadas*.

*

No hay que confundir el precio con el aprecio. Lo peor es cuando alguno quiere que sus faltas de ortografía se conviertan en reglas de gramática.

*

Lo peor de todo es el agradecimiento cuando se pudre.

*

Nadie ve el mandamiento que pisa. Tú puedes ver todos los ladrillos, menos el que está a tus pies.

*

Soy la persona más anormal de este mundo, pero siempre estoy apuntando a la normalidad de las personas del mundo.

*

Los cristianos tenemos que estar en el mundo y no en el cielo. En todo caso estamos para hacer en el mundo el cielo posible.

*

Hacer el bien no está mal. Siempre y cuando ese bien sea sincero, no revista hipocresía ni la necesidad de quedar bien por compromiso.

*

La gente no quiere paz, lo que quiere es ganar la guerra.

*

Una persona se define, no por lo que hace, sino por cómo reacciona ante lo que no puede hacer.

*

Los fantasmas son totalmente epidérmicos, quitas la sábana y no queda nada.

*

La oración me acompaña cada día, va siempre con uno mismo.

*

Oración y vida integran un presente continuo.

*

Hay que ser naturales, normales, esto es lo que bien dice y bendice Dios.

*

Debería haber una ecología espiritual.

*

Siempre el hombre vale más que las cosas del hombre.

*

¿Qué haces en tu tiempo libre y con el dinero que te queda libre? Esto es lo que te define.

*

Cuando el hombre hace gol al misterio, puntúa su soledad. Y cuando el misterio hace gol al hombre, puntúa su libertad.

*

Para ser cristiano hoy, hay que ser fiel al Evangelio, abierto a
todas las realidades y atento a las personas.

*

La verdad nos hará libres, que es como tenemos que ser los hijos de
Dios.

*

Es esa posibilidad de ser libres la que nos hace iguales ante sus ojos.

*

Han hecho más víctimas los caprichos que las miserias.

*

La fe siempre se presenta con el embalaje de la religión. Lo malo es
que es demasiado embalaje y, a veces, cuando lo has quitado todo,
sientes que ya no te queda nada.

*

La oración es dejar hablar a Dios.

*

Si la persona se encuentra consigo misma, ve que siempre tiene
recursos para ser bueno, porque Dios le ayuda.

*

La persona que no lleva su rumbo, se derrumba.

*

La fe es lo que Dios ha hecho para acercarse al hombre.

*

La religión es lo que el hombre ha hecho para acercarse a Dios.

*

Cuando la Iglesia no ha sido humana no ha sido cristiana.

*

La luz, donde no se ha barrido, no interesa.

*

Cuando salgo de viaje digo que estoy buscando a uno que sea más tonto que yo, lo que pasa es que no lo he encontrado nunca, por eso vuelvo a viajar.

*

Hay que ser como las abejas para ir chupando lo que de verdad te interesa para meterlo en la mochila de las ideas con que tienes que transitar por el mundo.

*

Sobre una persona que piensa bien y malvive no tenemos por qué pensar que ha de tener envenenados todos sus pensamientos.

*

Ramón de Campoamor decía que «hay cosas que dejan en los labios la miel y pican en el corazón». Yo digo que hay que ir con cuidado, pues hay gente que escribe muy bien lo mal que piensa.

*

Tengo la manía de estar al corriente de las corrientes que corren.

*

San Juan de la Cruz tiene los pies en el suelo aunque tenga en el cielo la ambición, y eso lo hace distinto.

*

La proliferación anárquica de la buena semilla produce conflictos más raros que la cizaña.

*

La religiosidad es un torbellino que se lleva la fe y que, además, tranquiliza mucho.

*

Quince padrenuestros al hilo dejan muy relajado y alguno se cree que eso es el cielo.

*

«El reino de Dios está dentro de nosotros mismos», la historia del cristianismo quizá sea la terquedad de haberlo situado en otra parte.

*

Yo creo que las cosas sólo pueden arreglarse con el Evangelio o con La *Codorniz*.

*

Lo que queríamos al principio, y seguimos queriendo aún, es que la libertad del hombre se encuentre con el espíritu de Dios.

*

Eres el director del banco de tus talentos. El mundo se puede

*

arreglar en dos minutos y sobra uno.